LA DÉRIVE
DES SENTIMENTS

DU MÊME AUTEUR

LES JOURS EN COULEURS, Grasset, 1971.

L'HOMME ARC-EN-CIEL, Grasset, 1971.

TRANSIT-EXPRESS, Grasset, 1975.

L'AMOUR DANS L'ÂME, Grasset, 1978

OCÉANS, Grasset, 1983.

LE VOYAGEUR MAGNIFIQUE, Grasset, 1987.
   (Prix des Libraires 1988).

JOURS ORDINAIRES, Grasset, 1988.

YVES SIMON

LA DÉRIVE
DES SENTIMENTS

roman

BERNARD GRASSET

PARIS

Au négrillon.

I

L'INTERCESSEUR

« Puisse tout bien finir ! »
Shakespeare.

1

Ma mère m'avait demandé de ne jamais mourir avant elle. Je le lui avais promis, et mes envies de m'engloutir en me jetant un soir d'hiver dans la Seine ou dans l'écume d'une quelconque côte sauvage s'étaient transformées en regards frileux vers des surfaces d'eau, limites entre la vie et la mort, portes interdites pour cause de promesse filiale.

Alors, je me regarde comme on observe une coupe de terrain où apparaissent les sédiments, mes sentiments, toutes ces strates de mon plaisir, ma souffrance, mes élans, ce qui m'a fait me mouvoir, moi et pas un autre, de là où j'étais vers là où je suis, en kilomètres d'espace, en années de temps, pour finir avec cette drôle de vision : un écorché qui ne saigne pas, et regarde l'histoire de sa vie comme un foreur de pétrole, archéologue du carbone et des neurones.

L'histoire de ma tête était liée à celle de mon corps comme l'étoile à l'espace, le soleil à l'hélium et le bateau aux océans.

2

Hier, je suis allé à l'enterrement d'une amie, Juliette. Elle était restée deux semaines à l'hôpital pour être, à la fin, ramenée chez elle, le crâne bandé.

Dans le grand salon du crématorium, on a attendu une petite heure que le feu fasse convenablement son travail. Kaspar George Becker, un écrivain de nos relations, avait si bien prévu le silence insupportable de ce genre d'attente, qu'il avait enregistré une cassette où se retrouvaient tous ceux que Juliette avait aimés, Youssou N'Dour, la musique de *Pierrot le Fou*, Mozart...

Je parle de cela, du crématorium et de Juliette, alors que je pourrais tout aussi bien me taire. Mais les morts sont rares, le malheur est comptabilisé comme s'il était astreint à ne jamais franchir l'écran de nos téléviseurs et, chaque fois que l'occasion est donnée de parler d'un vrai mort, avec du chagrin, il ne faut pas le garder pour soi car c'est une incursion du monde dans nos vies. Et il y a peu d'univers dans l'existence.

Après la cérémonie, on s'est retrouvés dans un café, Kaspar George Becker, Arielle et une fille que je ne connaissais pas. On a bu des chocolats et Arielle a raconté qu'elle s'était trompée de salle d'enterrement, et qu'elle était restée un quart d'heure auprès du corps Allaoui, un Français d'origine algérienne abattu en légitime défense par un policier. Des témoins avaient vu le défunt, menottes aux mains derrière le dos, s'enfuir devant le policier, qui avait tiré à six reprises. On a ri de la méprise d'Arielle, puis on est revenus à la légitime défense.

Le soir, j'ai regardé un portrait de Juliette et j'ai pleuré... J'ai dit à madame Dior, la concierge, qu'on ne pense jamais assez à la mort. Elle a dit que la vie était déjà assez difficile comme ça et m'a réclamé une fois encore ses étrennes.

13

3

Il n'y a pas si longtemps, une femme m'a abordé dans la rue en me disant que j'avais changé, qu'elle ne m'imaginait plus comme ça. « Souvenez-vous, un jour dans un hôtel, vous m'avez aimée et je criais tellement que vous avez cru que je pleurais. Alors pour vous, tout s'est arrêté et vous avez voulu me consoler. Nous sommes ressortis et nous avons marché toute la nuit dans Bruxelles. Il faisait doux et je vous ai emmené dans le quartier nord, près de la gare où les femmes en vitrine sont assises sous des néons rouges à attendre. Avec moi, vous avez osé vous arrêter pour les regarder. C'était la première fois, vous me l'avez dit. Je me souviens de votre gêne et de votre désir. La pluie s'est mise à tomber et nous avons terminé la nuit au buffet de la gare. Vous me disiez que vous n'aimiez pas dormir... »

Je regardais cette fille pendant qu'elle parlait, je me souvins alors de son odeur et ce fut un souvenir pénible, une répulsion. Comment expliquer cela... Je dis, « je suis pressé, j'ai un rendez-vous ». Elle sembla déçue. « Vous savez, je pleure toujours quand je fais l'amour, et ce n'était pas du chagrin, je vous aimais et j'avais peur de vous perdre... »

Le crâne bandé de Juliette me revient sans cesse. Parce qu'on ne sait plus ce qu'il y a derrière un crâne bandé. On voit des rêves et des cauchemars qui se télescopent avec des bistouris et des pansements. C'est l'hôpital qui est entré dans les pensées.

4

Coup sur coup, j'ai écrit l'an passé deux romans sous pseudo. Ils m'avaient rapporté assez d'argent pour que je puisse mener une vie délicate et envisager sereinement de faire écrire le troisième.

Répondant à ma petite annonce, monsieur Amédée, africain et convoyeur de fonds, vint prendre mes directives au début de l'hiver (j'aime écrire en hiver). Je lui annonçai qu'il s'agissait d'un drame urbain, la vie d'aujourd'hui avec les solitudes, et la jeunesse qui ne croit en rien mais voudrait bien s'agenouiller devant autre chose qu'un footballeur.

Monsieur Amédée était cravaté, correctement vêtu, bien que son survêtement me parût mal choisi quant à la taille. Originaire du Zaïre, il eut la délicatesse de ne parler à aucun moment ni du trafic des esclaves ni des négriers. En revanche, il décrivit longuement son épouse qui, affirmait-il, était très belle. Il me promit un premier chapitre dans les deux semaines.

Lorsqu'il eut remis son chapeau et repris son attaché-case, j'étais si heureux que, malgré le froid, j'ouvris les fenêtres, respirai un grand coup l'air de Paris, regardai une péniche hollandaise qui passait, fis un signe au batelier qui ne vit rien : mon troisième roman, qui me torturait depuis le retour de l'hôpital de Juliette, allait enfin commencer !

Je téléphonai à mon éditeur et lui parlai des prix littéraires. Il dévia la conversation et m'invita à déjeuner dans le courant du mois suivant. J'étais libre. Aussitôt le téléphone raccroché, je pensai à l'avenir, un quatrième roman, et écrivis la première phrase sur un coin de magazine... « Une heure avant l'aube, le 15 juin 1991, Kaspar George Becker mourut d'une seconde attaque, longtemps redoutée, dans la chambre d'hôtel du numéro 5 de la rue Siroka, donnant sur le vieux cimetière juif de Prague... »

Kaspar George Becker est ce vieil écrivain, ami de Juliette, que j'avais retrouvé au Père-Lachaise et qui parle avec insistance d'un dernier roman à terminer avant de mourir. Je le rencontre parfois dans des cafés du XIIIe arrondissement.

En annonçant sa mort dès le premier chapitre, j'eus brusquement l'impression de forcer le destin et m'en voulus de l'avoir choisi uniquement parce qu'il portait un nom romanesque.

16

5

Ma seule histoire d'amour est un malheur. Elle s'est terminée dans le froid d'un hiver fastidieux.

Imaginez. La jeune fille, Marie, était entrée à l'hôpital un matin, dès la première consultation, pour qu'on lui retire le début d'enfant qu'elle s'était mise à fabriquer. Elle avait gardé les yeux ouverts et c'est sa tête qui souffrait. Son corps était absent. Elle ne le voyait plus, ne le sentait plus. Elle dit, mon corps est immonde, mais elle ne voulut pas pleurer devant les médecins. Elle pensa qu'elle vivait une drôle de vie, qu'aujourd'hui on parlait de tout à la télévision, mais jamais de ce qu'il y a au cœur des hommes et des femmes. Elle sut qu'elle venait de faire connaissance avec son premier vrai chagrin, que ce début de vie n'était pas un furoncle ou une verrue qu'on pouvait faire enlever parce que cela gêne. Personne ne l'avait prévenue, personne. Elle eut l'impression d'avoir été trompée par l'humanité entière. On ne lui avait parlé jusque-là que de la loi qui autorisait et du pape qui interdisait, mais pas de la douleur intime, du souvenir arraché, de la misère à vivre cela.

Lorsqu'elle fut de retour au café en face de l'hôpital où je l'attendais, elle me dit : « C'est fini... »

On est rentrés sans se parler, en marchant dans les rues et les couloirs du métro. On se frôlait du bout des doigts, comme s'il y avait de l'indécence à renouer. En arrivant dans la chambre, j'imaginai ce couloir de mort qui venait de se frayer un itinéraire dans son corps. Je savais qu'elle ne pouvait avoir envie de faire l'amour. Je ne pouvais avoir envie non plus. Pourtant j'ai pensé qu'il fallait, sans attendre, que de la vie refasse en sens inverse le chemin encore assombri de sa douleur.

Aujourd'hui, j'écris à cette fille dans les postes restantes des grandes villes du monde puisque je ne sais pas vers laquelle elle s'est enfuie. La dernière lettre que je reçus d'elle avait été postée de Berlin et j'eus un moment le désir de prendre un train de nuit pour aller la retrouver. Marcher dans Berlin avec une photo de Marie à la main, monter les escaliers des pensions et des hôtels et présenter comme un policier en mission son visage aux concierges. Mais comment savoir... Les rêves vont aussi vite que les voyages, et elle n'en avait sûrement pas encore fini avec ce cauchemar à la mosaïque blanche des hôpitaux.

6

Au moment de ma première rencontre avec Marie, j'écrivais des débuts de romans, mon père venait de mourir et je fumais des Craven A. Ma mère était partie en Malaisie pour s'occuper de réfugiés le long d'une frontière et ma vie semblait pleine d'avenir. A tout hasard, j'avais commencé une licence d'histoire ancienne tout en fréquentant chaque soir la Cinémathèque. Je remarquai qu'une statue appelée *Tête d'éphèbe blond* (485 av. J.-C.) ressemblait à Marlon Brando dans *Sur les quais*, le *Perfecto* en moins. Pour faire le malin, je portais une montre de gousset qui venait de mon grand-père mort d'une embolie, dans son lit, en plein rêve.

J'écrivais la nuit et le soir des chapitres que je ne terminais pas, mais que je tapais furieusement le reste de la journée sur une vieille *Brother Deluxe* portative qui possédait le & américain et le Σ grec. Marie posait pour un peintre épileptique qui parfois s'effondrait en pleine crise devant elle, les yeux révulsés et le visage déformé. Elle prit vite l'habitude de lui glisser un manche de pinceau dans la bouche pour qu'il ne s'étouffe pas ou ne se coupe pas la langue. Lorsque tout était terminé, il se retrouvait allongé sur un tapis, avec Marie qui lui tenait la main comme un enfant et lui, hébété, qui disait « Merci ma petite fille, merci... Vous m'avez encore pris pour le diable n'est-ce pas... » Marie faisait signe que non... « Si, si, vous vous êtes habituée, mais je sais que ça ressemble à une possession. »

Je retardais le moment où l'écriture me vaincrait.

Marie et moi allions au cinéma, passions des vacances dans des maisons d'amis, on campait aussi... Tout semblait se dérouler sans heurt, c'est-à-dire sans bouleversement. Puisque nous passions nos jours et nos nuits ensemble, c'est que nos sentiments étaient à l'image de cette vie, ils se mêlaient, semblaient installés à demeure au centre de nos regards, insouciants, certains que sauf accident, ils ne pouvaient que s'enrichir, heure après heure, de ce que l'un donnait à l'autre sans compter.

Je sus un jour que j'avais changé lorsque Marie me demanda, dans la salle de bains, si je l'aimais et que je répondis, après un court silence... Passe-moi le savon s'il te plaît !

Je ne sais pas si c'est la lâcheté qui me fit répondre de cette manière ou encore pire, la nonchalance, mais cette phrase résonne encore à mes oreilles, avec chaque fois la restitution parfaite de l'écho propre aux salles de bains.

Marie fit comme si elle n'avait rien entendu mais me dit une semaine plus tard que cela faisait horriblement adulte de cacher ses sentiments.

7

Monsieur Dior, gardien à la Résidence de l'Espérance, affirme régulièrement qu'il n'est pas raciste. D'abord parce qu'il a épousé Dolorès Bivar qui est portugaise et que le Portugal c'est déjà la pauvreté. Ensuite, il a accepté leur fils Maurice, bien qu'il soit presque foncé. Et s'il l'appelle Mau-Mau, c'est seulement pour embêter sa femme parce qu'il sait qu'elle entend Momo et qu'elle est furieuse à cause de l'Islam.

C'est en cachette que je parle à Maurice car monsieur Dior sait que je connais le romanesque et la ponctuation et ça, il ne veut pas que son fils en entende parler hors de la scolarité. Alors, Mau-Mau et moi, on discute à la nuit tombée, en marchant sur l'autre rive du canal, entre les écluses et le café *Cargo*, en s'éloignant le plus possible de la Résidence.

Il y a quelques semaines, Maurice Dior m'a raconté comment son père avait réagi à des notes désastreuses. Il lui a dit : « Mau-Mau tu n'es rien, tu ne seras jamais rien, et moi je vais faire quelque chose pour toi. Montre tes mains... Pas comme ça, l'intérieur ! » Et Mau-Mau qui avait les ongles sales fut content car il crut un instant que c'était à cause de la crasse que son père prenait son air méchant. Une fois les mains retournées, il a continué : « Maintenant, ferme un peu les doigts comme si ta main c'était un récipient. » Maurice a fait comme s'il était

21

sous un robinet et qu'il veuille boire de l'eau. Alors, monsieur Dior a pris sa cigarette et l'a écrasée sur la paume de Mau-Mau. « Voilà. Maintenant Mau-Mau, tu es quelque chose, tu es un cendrier. »

Monsieur Dior s'est détendu.

Ce n'est pas la première fois que Maurice me dit que s'il avait un fusil, il tuerait son père. Je lui ai promis de chercher un catalogue où on peut cocher par correspondance une *Winchester* ou une 22 long rifle, et il m'a avoué qu'il avait déjà pianoté sur le minitel à la rubrique TV-Achat... Mais qu'il n'avait trouvé que des alarmes, des nuisettes et des tapis persans.

8

Résidence de l'Espérance, il fait froid. Le canal est sinistre, j'ai ouvert un paquet de muesli. Du lait, miel, *sliced bananas* comme il est écrit dans les menus américains, je referme le policier couverture jaune et noire acheté sur les quais, un visage me visite, passé, flou, une image de Marie, toujours la même, usée, un sourire.

« Je pense à vous. Si je vous disais cela en face, vous auriez un sourire ou une moue embarrassée. Là, je vous l'écris et vous n'en savez rien. Vous marchez peut-être au bord d'un étang et riez à l'instant même, et moi j'écris que je pense à vous. C'est une petite chose glissée à la surface du monde, comme un souffle à l'intérieur d'un arbre qu'aucun météorologue ne mentionnera à la fin d'un journal télévisé.

On a parlé de *malheur indifférent*, mais votre absence n'est pas un malheur et ce que j'éprouve ne s'appelle pas indifférence. C'est une vigilance à votre égard, un amour, mais il est fait de toutes pièces, artificiel, afin que d'autres sentiments bien réels ne puissent m'assaillir. La *personne* à laquelle je pense et qui porte votre prénom n'a à voir que vaguement avec vous, passée, et encore moins avec vous, présente, puisque je ne vous vois plus. C'est quelqu'un qui doit avoir encore quelques traits communs avec ceux de votre visage, mais dont les mots, la culture, les sentiments sont autres. Ce n'est pas vous en mieux ou en pire : c'est vous, pensée par moi, et cette construction de femme je l'appelle aussi, Marie.

23

Savez-vous comment nommeraient leur souvenir des Cambodgiens, des Libanais, des Vietnamiens ou des Français qui auraient connu l'occupation ? La guerre. Un seul et unique même mot pour évoquer la peur, la faim, le vacarme des obus, vécus en des lieux et des dates différents.

Vous ressemblez à un souvenir de guerre. »

9

L'enfant ? Il aurait dû naître en novembre d'il y a quelque temps. Aujourd'hui, il n'est nulle part. Seulement dans ses émotions à *elle*, et dans les miennes. Peut-être y pensons-nous chacun de notre côté... Mais ça non plus on ne peut le savoir.

Souvent, quand je marche, j'ai l'idée de *lui* à mes côtés, un confident à qui transmettre une variété de sentiments et la liste d'innombrables lieux du monde où j'ai pu entr'apercevoir du calme et des espaces amoureux où il aurait fait bon se lover. Mais je saurai le retrouver, il aura le même visage, le même regard et puisque je l'attends, c'est que nous avons rendez-vous... Plus tard. Je le rencontrerai l'enfant de novembre, exigeant, et il voudra que je pleure une dernière fois de l'avoir fait attendre si longtemps pour nous rencontrer. Il me regardera le premier, lui saura qui je suis, moi, je ne saurai rien de lui. Aujourd'hui, il est encore dans l'éternité, à naviguer sans temps ni espace dans l'univers qui est immense et que moi j'ai oublié. Avant qu'il ne devienne réel et ne se fasse voler dans le corps d'une femme son infini, pour faire partie de nous, avec le temps des horloges et la mort inscrite dans ses cellules, je pense à lui, à sa puissance. Il n'a pas de nom, pas de visage, il est l'enfant d'univers qui se distingue uniquement des autres parce que moi, je pense à lui le soir et la nuit. Il ne sait encore ni crier, ni s'émouvoir. Il sait tout du monde, mais rien de la vie. Là où il se trouve en ce moment ? C'est nulle part et partout. Dans le ciel et près de ma peau, derrière les rétines de mes yeux et loin, loin sur les vagues des océans, libre. Il vogue, il est la vague...

Nulle part je vous dis. Seulement dans ses pensées à *elle* et dans les miennes.

10

L'intérêt d'avoir écrit deux romans sous pseudo, tant les médias sont friands de mensonges, est que chacun à présent sait qui en est l'auteur. De ce fait, je peux tranquillement laisser monsieur Amédée écrire le prochain, que je signerai cette fois de mon véritable nom, sans qu'un instant on puisse imaginer la supercherie.

D'ailleurs, le nom de l'auteur a peu d'importance au regard du temps. L'essentiel, ce sont les mots qui ont été sertis, rassemblés, pour voyager contre la mort et résister au gel, aux bombes, aux épidémies. Même les pires dictateurs ne sont jamais parvenus à faire saisir *Don Quichotte* pour le jeter définitivement, lesté de dix kilos de béton, au fond de l'eau. Les livres résistent au temps et aux tempêtes comme les rives de la mer. En Méditerranée, les rochers et la découpe maritime ont peu changé depuis Homère, seuls quelques éclats de quartz et de silice ont disparu, comme s'il manquait à l'*Odyssée* une lettre par-ci par-là, que les vagues auraient délavée.

J'aime imaginer les livres comme des cercueils de verre où on pourrait voir, compressés à l'intérieur, des villes, des paysans russes, des visages féminins qui se reflètent dans des miroirs vénitiens, des chauffeurs gantés, la chambre de pénombre d'une belle endormie... Le cercueil de verre avec son univers de roman, le temps et les sentiments, naviguerait à hauteur de fenêtre dans les villes et on le regarderait avant de l'ouvrir, on l'observerait attentivement sans se fier à ce qui aurait été dit ou écrit sur lui et alors, séduit par le geste d'une main, la moiteur d'une rue de l'équateur ou par deux dents écartées dites du bonheur, on arrimerait le cercueil à son immeuble pour ouvrir le couvercle et transvaser un univers inédit, complexe, à l'intérieur de sa maison. Au bruit, aux accents, aux musiques ou aux silences, les passants diraient, tiens là-haut, au quatrième, c'est Steinbeck dans les ruelles de Monterey ou bien Mishima et l'incendie du Pavillon d'or.

Il n'y aurait qu'un absent dans le cercueil de verre, l'auteur, mort depuis longtemps, vaincu par la pesanteur de son corps, alors qu'il avait su comment traverser le temps avec seulement une langue, un style et quelques émotions.

11

Peu après le départ de Marie, j'avais acheté un revolver. Mais on ne tue pas un souvenir. Je pouvais cependant jouer avec lui, l'armer, presser la gâchette, étaler une photo de Marie et poser le petit trou noir de la mort contre son visage. Tout cela était inutile. Je jouais, c'est tout.

Il y a forcément un jour où on est vaincu. On n'en parle pas, mais on le sait, c'est une certitude. Le regard des femmes est opaque, glisse sur vous, vous contourne et on sait que le jour est arrivé où il faut cesser de devenir. Arrêt sur image, arrêt sur sentiment, en retour de sa propre invisibilité, le regard vers les autres se vide lui aussi de sens. Eux, ils disparaissent doucement, étrangers, et il ne reste plus qu'à s'observer vivre cet instant où les connexions avec le monde se disloquent. Cela ressemble à une élection, choisis que nous sommes par la loi qui dicte le renoncement.

Alors il reste à s'allonger, regarder le plafond et les marques que la paume de la main a fabriquées, pendant le temps où elle caressait, serrait, effleurait, innocente, certaine que les objets qui passaient lui appartiendraient.

Mais j'ai toujours eu une grande aptitude à simuler la sérénité.

29

12

Je n'ai pas osé dire à Kaspar George Becker qu'il serait le héros de mon quatrième et prochain roman et qu'il mourait dès le premier chapitre dans un hôtel de Prague.

KGB, pourquoi ne pas appeler ainsi le digne Kaspar George Becker, non pour aller plus vite ou faire un jeu de mots facile, mais bien parce qu'il arrive de l'effroi ? Si Vienne fut l'observatoire idéal d'où assister à la fin du monde, cet homme est le témoin particulier d'un siècle qui a offensé les hommes. Ecrivain-voyeur, savait-il cela que l'histoire le noierait, l'embraserait, le brutaliserait en le plaçant en son cœur, là où elle excelle à fabriquer du romanesque, du grandiose et de la terreur ? Jeté à l'intérieur du désordre, il parvint à en extirper son regard pour devenir à la fois témoin et victime, acteur du malheur et narrateur des souffrances.

Il parle peu du livre qu'il écrit, il dit simplement que c'est le dernier, et qu'il s'agit de *la guerre...* La guerre ! Celle de 14-18 ? 39-45 ? Il prétend qu'aucune ne lui demeura inconnue, puisqu'il fut correspondant-reporter sur le champ de toutes les manœuvres. Mais peut-être s'agit-il de la lutte des corps avec l'existence...

Il dit aussi avoir rencontré les écrivains les plus célèbres, à Vienne, Berlin, Paris...

Mais il ment comme il respire, c'est-à-dire par à-coups.

Il dit :

J'ai écrit et imaginé des histoires pour les glisser dans les interstices d'autres histoires qui se déroulaient autour de moi ou sans moi. J'ai comblé toutes sortes de vides en reconstruisant ce qui aurait pu, ou dû advenir... Les personnes que j'ai imaginées sont aussi réelles que les gens que je vois vivre en face de moi, avec leur rire, leur tracas et leur peur... Je leur dois à toutes compassion et aide, c'est cela que j'appelle un travail, mon travail : faire en sorte que demeure, pour le temps à venir, un signe de leurs cauchemars et tenter d'établir des liens entre ce que personne ne parvient à faire se rencontrer, l'intérieur et l'extérieur des choses...

Il rôde autour de la place d'Italie dans Paris XIIIe, vers les bars vietnamiens et thaï du quartier. Il aime son arrondissement : « Ça ne fait ni chic ni pauvre d'habiter là, de plus, 13 est un chiffre remarquable et l'Italie est un pays où j'aurais aimé vivre. »

Il dit souvent qu'il aimerait que Paris soit, outre la Porte d'Italie, cerné par une Porte Malaise, une Porte du Matin calme, une Porte Abyssine, une Porte des Pays Baltes... et une fois le périphérique franchi, pouvoir entrer sans transition dans Florence, Kuala Lumpur, Séoul, Harar ou Vilnius... Qu'à la Porte du Sahara commence, juste après Montrouge et la banlieue, un véritable désert de sable et de pierres... Que les portes de Paris, en somme, signifient les noms des pays et des contrées qu'elles portaient.

... La guerre ne s'arrête jamais. A l'intérieur des

31

rêves et des sentiments, c'est la guerre avec les choses, avec les mots, avec le ciel... Elle ne vocifère pas, elle séduit avant de briser. Krieg, war, guerre, guerra... Chaque fois qu'une bouche prononce son nom, on sait qu'elle va surgir des têtes parce que c'est là qu'elle s'était enfouie...

Pas né, trop jeune, trop éloigné, toutes les guerres de première importance me sont passées sous le nez. Mais on ne se plaint pas d'un tel état de fait.

Kaspar George Becker, l'histoire lui est entrée dans le corps comme la mer dans une fracture de bateau. Il en fut baigné, inondé et a partagé ce malheur avec ceux que ce cadeau du hasard avait, comme lui, infestés.

Mon malheur, je ne l'ai jamais partagé.

C'est ça la différence entre Kaspar George Becker et moi. On ne parle pas d'une histoire qui vous brise en mille éclats à quelqu'un qui a connu les visages tuméfiés, les bombardements et les bottes nazies.

C'est dans un bar-tabac que je le retrouve et lui parle de monsieur Amédée. J'explique clairement à Kaspar George Becker qu'un homme va écrire le livre urbain dont je rêve. En fait, il est plutôt rassuré de le savoir convoyeur de fonds car, dit-il, les écrivains ont toujours quelque chose à convoyer. Je sens bien que le principe de commanditer une écriture l'indispose. J'invoque le fait que c'est le livre qui est important et pas l'auteur et que si monsieur Amédée parvient à entrer sournoisement dans l'époque et les secrets de ceux qui y vivent, le but sera atteint.

« Mais les prénoms des personnages, vous les avez choisis? » me demande-t-il. Non, je n'y avais pas songé. « Important les prénoms, ajoute Kaspar George Becker, ils doivent être déjà dans votre histoire à vous, avant que d'exister dans une histoire que vous comptez écrire, sinon le lecteur sent que quelque chose ne va pas... »

Mais Kaspar George Becker ne s'étend pas et me demande si ça ne me dérange pas qu'il s'octroie un petit sniff de tabac. Ça me fait plutôt sourire et j'ai l'impression, en le regardant, de voir s'envoler un zeppelin, tant ce geste de priser du tabac me semble d'un autre temps.

Priser, repriser, des mots enveloppés de vieilles odeurs.

13

J'appelais monsieur Amédée régulièrement et tombais tout aussi régulièrement sur son épouse. Comme il me l'avait décrite, je savais que je parlais à une jolie femme. Tout ça pour m'entendre dire qu'il n'avait pas cessé son activité de convoyeur de fonds et écrivait le soir lorsqu'il rentrait, harassé. Je lui fis part de mon inquiétude quant au roman. Elle me dit : « La fatigue, c'est bon pour l'écriture, ça évite les points-virgules et les adverbes. » Peut-être n'avait-elle pas tort. Mais j'insistais pour qu'elle me lise au moins quelques phrases, un début. « Il faudra voir avec lui », concluait-elle toujours avant de raccrocher.

Alors, j'ouvrais la télévision, j'allumais un havane, je branchais le ventilateur du plafond. Je me sentais écrivain du Sud, un Américain de Virginie, et me servais un verre de mezcal que je teintais d'une giclée de citron vert. Je regardais descendre les iguanes sur le papier peint de mon salon et je pensais à monsieur Amédée, un revolver à la ceinture et des sacs de billets sur l'épaule, à Marie dans une ville inconnue, à ma mère en train de vacciner le tiers-monde : les femmes qui me sont chères sont toujours absentes. Absents les mots rassurants, les gestes, les regards, les doigts qui se nouent.

Certains soirs, le mezcal mêlé au sang des iguanes me donnait l'affreux sentiment de participer à de l'inutile.

14

C'est toujours à cause du succès des romans que le cinéma vous tombe dessus et, contrairement à une idée reçue, les producteurs sont des gens qui lisent énormément. Ils n'en parlent pas, car cultivés et discrets, mais rêvent d'adapter à l'écran les plus grandes œuvres littéraires, *Finnegans Wake*, *La Recherche du temps perdu*, *Cent ans de solitude*, *L'Education sentimentale*, *L'Homme sans qualités*... On sent bien que les films policiers qu'ils feignent d'affectionner à cause des morts et des entrées ne sont pas ce qu'ils préfèrent. Pour en avoir rencontré quelques-uns, je peux affirmer qu'ils parlent littérature couramment et citent les meilleures ventes avec le classement dans *la liste*.

Un jour, à un dîner simple chez une actrice, l'un d'entre eux arriva accompagné d'une très jeune fille. Une gamine, en fait. Bien avant l'arrivée du plat principal, le producteur s'était penché vers moi, en gardant son regard tourné vers elle : « Vous la trouvez comment ? elle est belle n'est-ce pas ! » J'ai cru à un titre de film — tant j'aimais cette idée qu'il y ait la question et la réponse dans une même phrase — et je répondis ne pas l'avoir vu(e). Vexé, il ne m'adressa plus la parole qu'au dessert pour me demander, par pure politesse, ce que j'écrivais en ce moment. Je pensai à monsieur Amédée et répondis, c'est un roman actuel... Il fit ah ! et je fus rassuré. Sans trop y croire, il insista pour savoir si en même temps que l'écriture, j'avais des pensées pour le cinéma. Je fis remarquer solennellement que c'étaient deux genres différents et que les grandes œuvres se prêtaient rarement à une adaptation, mais c'était bien cela l'enjeu ! « Le challenge, traduisit-il aussitôt, c'est de tenter l'impossible... Et avec de l'imagination et de l'argent on fait tous les films que l'on veut ! » Je demandai s'il avait l'argent... La jeune fille qui l'accompagnait, et qui n'avait rien dit jusque-là, exhiba sous mes yeux une merveilleuse bague qui brillait de mille feux. Je fis ah.

La conversation glissa alors sur l'actualité qui nous submergeait. Je suggérai une première scène dans un grand ensemble où une cour d'immeuble se remplit avec fracas de téléviseurs que jettent, de leurs fenêtres, des téléspectateurs excédés...

Le producteur demanda mon téléphone et ajouta que nous devrions nous revoir...

Pendant qu'il cherchait autour de lui un stylo pour noter mon numéro, je souris à la jeune fille et lui demandai le sien.

15

Le monde est cruel. Les chiens que l'on aperçoit à Paris semblent si loin d'un chenil que ça fait peine.

Ils traînent leur solitude avec parfois un autre solitaire qui les tient en laisse et on pense, en les voyant, au programme de télévision et au plateau-repas qu'ils vont devoir se partager pour le soir.

Une fois lâchés, les chiens virevoltent sur les pelouses des places et des squares et défèquent là où ils veulent, quand ils ont envie, et les maîtres, eux, se retiennent. De danser, de hurler à la mort. Ils portent une blessure invisible qu'ils ne peuvent oublier car c'est cela que le corps cicatrise le moins bien, les maladies qui n'ont pas de nom. Elles se taisent et n'osent rien avouer. Les maîtres des chiens sont muets, ils se parlent à eux-mêmes ou au chien qui ne comprend pas tout, ou alors simplifie terriblement. Lui, il pense au plateau-repas télévision et le maître, aux images du programme. Ils sont décalés, mais ce sont de vrais couples qui circulent le soir sous les arbres des trottoirs, dans les squares ou sur les places royales. On appelle couple un ensemble cinétique qui fonctionne et va de l'avant. Le maître et le chien fonctionnent parce que l'un parle, et l'autre pas. L'un émet quelques mots simples que l'autre feint de comprendre. Alors, tout va. Sauf l'essentiel. Le chien aimerait avoir un ami qui jappe et ne lance pas des onomatopées incompréhensibles. Il voudrait un ami à qui renifler le derrière, le museau, sans manières, attraper son identité olfactive et en jouer, comme d'un rébus. Le maître debout, le cul à un mètre, n'est identifiable comme ami qu'à travers quelques paroles sans odeur. Là est la cruelle réalité du chien. Il gesticule dans un monde morne, où toutes les déjections sont canalisées, les sueurs gommées, les haleines assagies. Les bidets en faïence emportent à jamais les seules histoires pour lui passionnantes et il a beau courir, renifler les troncs d'arbres, il revient inexorablement auprès du téléviseur, sans souvenir. Les informations pourtant abondantes auxquelles il va assister auprès de son plateau-repas ne l'emmèneront nulle part. Les plus beaux charniers, les victimes d'attentats et de tremblements de terre arrivent de bien trop loin pour apporter avec eux le délicieux parfum des corps en décomposition et prétendre faire naître le moindre début de divagation onirique.

Loin des chenils et des odeurs de charogne, la vie des chiens de ville est une calamité, un désespoir, et s'ils n'hurlent jamais, c'est par pudeur toute simple. Comme le maître qui se tait devant le téléviseur, et attend le goût des lèvres, d'aisselles à étreindre, d'un mot crasse entendu pour défaillir. Défaillir de l'autre.

16

Entre le premier et le deuxième roman écrits sous pseudo, j'avais dû faire un séjour à l'hôpital tant les royalties m'avaient enthousiasmé et, il faut bien l'avouer, perturbé.

A ma sortie, je me sentis terriblement courageux, il faisait beau et ce séjour m'avait redonné confiance. Les femmes me regardaient et j'entendais parfaitement le chant des oiseaux. Comme le médecin-chef, le docteur Chestonov, m'avait fait promettre de revenir régulièrement — pour une *discussion informelle*, avait-il dit —, j'étais heureux d'avoir à fréquenter les hôpitaux sans être soupçonné de maladie.

C'est ce que je préférais, les *discussions informelles*... Mon père avait toujours voulu m'inculquer que les rencontres étaient des objets rares, et longtemps je crus qu'au cours des conversations, il me fallait abonder sur des sujets de premier ordre. J'avais acheté des livres d'astrophysique, de mécanique quantique, ainsi que des revues spécialisées en potins tous azimuts. Je pouvais aussi bien parler d'Heisenberg, de Madonna que de Galilée, sans transition, et si rien de tout cela ne faisait rire, je me lançais sur les femmes. Je les connaissais peu, mais inventais. D'ailleurs, avec elles, on n'a pas le choix, on ne peut qu'inventer puisqu'on n'a droit qu'à la surface. Les hommes ne sont là que pour écrire sur elles, les sculpter, les photographier. Les regarder partir un jour emplies d'un mystère dont elles se moquent, mais qui nous a bien occupés tant il fallait l'inventer pour que la vie vaille la peine de survivre.

En fait, c'est simple : il y a ceux qui rêvent et ceux qui sont rêvés. Mais ça ne m'a jamais déplu de voir sans cesse des cuisses défiler dans ma tête, des moues, le duvet des nuques, des jambes allongées qui s'écartent sans avoir à forcer, qui s'entrouvrent par connivence, des hanches et des seins, des parfums qu'on garde sur les doigts et en mémoire comme la marque du secret.

L'autre, c'était elle. Toujours elle. Le parking du monde où jouer. Au début, il y a les lèvres, puis viennent les mots et survient le silence. On sait bien que ce sera toujours ainsi, mais c'est une dramaturgie à laquelle on tient, celle des lèvres, des mots et du silence.

17

Moi, en fait, c'est la réalité qui me plaisait. Les agrafeuses, les brosses à dents, les cartes à puce...

Mon éditeur avait crié, hallucinant ! Il était halluciné par mon besoin de réalité... « Les romans sont des épopées avec du bruit et des décors... Le lecteur doit pouvoir voyager en Concorde de La Courneuve ou des Minguettes, sans effort aucun ! »

C'est donc pour écrire autre chose que ce que j'aimais que j'ai dû prendre un pseudonyme. J'ai eu beaucoup de mal à revenir à moi après ce premier livre car je m'étais habitué aux kroumirs de Wall Street, à Money is money, aux salopards du Cartel. Lorsque après le succès, on me demanda de bisser, pour récupérer je suis tombé malade.

Aussitôt à l'hôpital, tranquillisé chaque matin et chaque soir par les sirops du docteur Chestonov, j'ai commencé un roman sur un briquet qui flanche au dernier moment, c'est-à-dire à l'instant où, la gamelle sur son réchaud à gaz, le héros, aux alentours de midi cinquante-cinq, peu avant le journal télévisé de la mi-journée, se retrouve à l'état préhistorique : la guerre du feu, le cru et le cuit, ce qui me permettait, à partir d'une belle métaphore, une digression de premier ordre sur l'histoire de la civilisation... (Les mythes de l'origine de l'homme ou sur l'origine du feu témoignent que, dans la plupart des sociétés, ce n'est ni le langage, ni la technique, ni la société qui se sont posés comme éléments de différenciation entre l'homme et l'animal, mais la domestication du

feu. Et pas n'importe quel feu ! Pas le feu qui permet de se défendre ou d'attaquer, pas le feu qui chauffe ou éclaire, non plus celui qui a servi, dès les origines, à modifier l'outillage, mais bien le feu culinaire. Plus précisément, l'homme est homme parce qu'il mange cuit...)
puis dérapages multiples sur les post-it, le vernis discutable des disques laser, le stretch des jupes moulantes, la fabrication des bouchons abandonnée dans les Maures, la manière de dire oui à une jeune fille de seize ans et non à sa mère, les déplorables languettes incolores des produits cellophanés, les romans écrits avec ordinateur... D'ailleurs, à ceux qui recommandaient de ne pas se fier aux ordinateurs, je répondais, moi, qu'on pouvait encore moins se fier aux humains, car à la source de toute erreur imputée à l'ordinateur, on pouvait trouver au moins deux erreurs humaines, dont celle de blâmer l'ordinateur !

18

Le jour où le jeune Maurice Dior apprit qu'un compact-disc, c'était des millions et des millions de chiffres qu'une lumière laser se contentait de lire pour restituer des sons et de la musique, il fut abasourdi. Il se mit à sécher ses cours de géographie et de portugais pour fréquenter assidûment la Cité des sciences qui se trouvait à dix minutes à pied du canal. Il y avait là un pendule de Foucault, mais aussi tout un spectacle sur la naissance de l'univers, la première explosion avec la lumière qui jaillit et s'éloigne de ce point zéro à trois cent mille kilomètres/seconde et qui, depuis quinze milliards d'années, navigue à cette vitesse dans l'espace.

Que les astrophysiciens, qui la nommaient *lumière fossile*, puissent aujourd'hui l'observer, était encore plus incroyable !

Lorsque Mau-Mau raconta à monsieur Dior que la lumière avait une histoire et qu'en la repérant tout au bord du monde, c'était le passé que l'on reconstituait, le gardien de la Résidence de l'Espérance le regarda, navré, et dit qu'il était bien le fils d'une Portugaise pour croire aux soucoupes volantes et à toutes ces bondieuseries d'univers... Monsieur Dior, lui, ne croyait qu'à la France. Que les traces d'une explosion vieille de plusieurs milliards d'années puissent encore se trouver quelque part ne l'intéressait pas et lui était aussi étranger qu'un Malien. Et comme on ne pouvait rejeter hors des frontières de la

France une chose déjà parvenue au bout de l'univers, monsieur Dior se trouva impuissant devant l'éloignement de la lumière.

Le lendemain, Mau-Mau me dit avec nonchalance : « Tu savais que les feuilles des jujubiers du désert contiennent un liquide qui a les mêmes propriétés que l'huile de baleine ? » Non, je ne savais pas.

— Où est-ce que tu as appris ça ?

Il est boulimique Mau-Mau, il veut savoir. Un jour, il veut être astrophysicien, le lendemain, « Je serai chasseur de chasseurs de baleines » me confie-t-il en marchant le long du canal. Mais il est déçu, je le sens. Un type qui connaît Kaspar George Becker, des écrivains et qui écrit des livres dans les hôpitaux n'a pas le droit d'ignorer que le jujubier pousse dans un désert, celui de Sonora, et que son huile devrait réduire à néant, selon lui, la chasse effrénée des bourreaux de baleines... « Les Norvégiens veulent remettre ça, me dit-il... Ils font partie de l'Europe les Norvégiens ? »

*

Le soleil allait chercher ses reflets d'orange jusque sur les chaînes rouillées des bâtis d'écluse.

Un soir de début d'hiver, sec, sans promesse, où la question des cœurs porte plus sur la capacité des gens à prononcer des pactes qu'à en rester aux actes. L'amour n'est pas une partie de go, mais le lieu secret où l'invisible attrait pour l'inconnu se manifeste, étrange, violent, tendre, une force qui pousse à arracher quelques mots à l'éternité pour vivre des instants de calme, rassuré qu'une pensée attentive, même absente, puisse mourir pour un oubli, une négligence. « Sois attentif aux vivants, à la mémoire et à l'amour » m'avait dit mon père.

Il était mort. Je pense à lui. Je l'aimais.

19

Je parle et je ne sais pas d'où sortent les mots qui me viennent. Comme s'ils appartenaient à tous, et que dans ce flux de la parole à l'intérieur duquel je baigne, des bribes, des phrases de discours surgissent, que je saisirais afin de trouer le silence, rétablir un lien, là où il aurait disparu. Peut-on supposer que les romans naissent là où la parole s'est refermée, non pour taire un secret, mais parce qu'elle ne sait plus comment décrire ou désigner ce que la vie invente ?

Des rêves surgissent. Les ai-je rêvés ? Ou quelqu'un d'autre rêve-t-il à ma place ? Ecrit-il ce rêve que je vais lire, pour le faire mien, me l'approprier et qu'il devienne, sans que je m'en sois aperçu, mon rêve, un éclair de mon existence, instantané lumineux qui disparaîtra devant mes yeux, mais restera blotti dans la mémoire ?

— C'est quoi un dernier livre ? demandai-je à Kaspar George Becker.
— C'est celui que l'on écrit avant d'être plus vieux que les étoiles et plus vieux que le souvenir des femmes que l'on a aimées... Je ne sais plus quand je vais mourir, mais je me souviens d'être un homme qui a traversé le siècle, c'est-à-dire un homme des pierres et des forêts, seul à l'entrée du labyrinthe sombre d'une tempête, et je me raconte ma dernière

46

histoire, un dernier et long poème du monde, l'ultime promenade au travers des ronces et des gués, au milieu de la terreur et du souvenir qu'elle inflige, au milieu de la guerre et du souvenir de la guerre, flanqué de deux visages de femmes restés plantés dans mes cheveux, et qui m'empêchent certaines nuits de poser ma tête paisiblement sur l'oreiller...

... C'est un poème, le dernier poème du monde où se mêlent le sang glacé des maudits et l'ardente foi de ceux qui n'ont jamais rien eu à perdre, combattants de l'inutile, du presque pas, du rien.

20

Mais il n'y avait pas que monsieur Amédée, Kaspar George Becker et quelques souvenirs pénibles. Ma vie gesticulait, et il m'arrivait de divaguer.

Je rencontrai Irina dans une soirée anniversaire. Elle n'était pas russe, mais arabo-allemande, une métisse donc, toute faite d'étrangeté, un visage aux histoires mêlées et le regard inquisiteur d'une jeune fille.

Sa mère Ismalia et Peter son père étaient de la fête.

Irina me demanda mon âge et je mentis. Ça n'aurait pas dû se passer comme ça. Mais quelle importance... D'ailleurs, à l'instant où elle avait posé la question, je pensais à tout autre chose : un tableau de Velazquez aperçu l'après-midi même dans un magazine, à propos d'une exposition. Une femme y était nue, peinte de dos, ses hanches, ses fesses, un enfant face à elle qui lui présente un miroir pour que l'on connaisse son visage. C'est cette image que j'avais à l'esprit lorsque Irina me demanda mon âge et que je mentis. Mais Velazquez mentait lui aussi. L'angelot — si on y prenait garde — présentait le miroir orienté de telle façon que c'est le sexe de la dame que l'on aurait dû voir se refléter et non son visage. Au contraire d'Hitchcock qui n'aimait pas les femmes portant leur sexe sur leur visage, Velazquez sans doute, aimait celles dont le sexe est un visage.

... La guerre était là avant la guerre. Bien avant qu'elle ne soit déclarée, avant les avions de la nuit, avant l'éblouissement et les ténèbres...

C'est quoi la guerre, Irina ?

Elle dit, vacarme, seringues, Schwarzenegger dans *Robocop*, Salopards d'Argenteuil contre Black Muslims de Sartrouville, sida, Rambo, et la carte postale du Vietnam où court une petite fille sur une route défoncée...

C'est quoi la guerre, Ismalia ?

Elle dit, la casbah, Bab-el-Oued, les Français, l'OAS, la bombe du Café de Paris, le racisme, Saladin...

— Saladin ?

— 1186, la dernière victoire des Arabes sur les chrétiens...

C'est quoi la guerre, Peter ?

Il dit, nazis, Vietnam, Algérie, la Grenade, Afghanistan, Iran, Irak, Namibie, Panama, Corée... Le Vietnam, je l'ai déjà dit ?

Finalement, l'histoire avec Irina dura peu. Je m'aperçus très vite qu'elle aimait mieux l'amour par téléphone qu'au corps à corps. Un soir, elle m'appela, étendue, à ses dires, sur son lit, seule... Gémissements, quelques mots... Et mon sexe tu le sens ? Moi je regardais distraitement un document, René Char à la télévision... J'hésitai, j'aurais pu zapper Char et me consacrer à la fille, j'optai pour un compromis, baissai provisoirement le son, échangeai quelque mots adaptés à la situation, puis je susurrai ha ha pour qu'on en finisse et Irina dit : je jouis aussi. Lorsque je raccrochai, René Char disait... « Baisers d'appui... Tes parcelles diverses font un corps sans regard... »

Comme s'il avait parlé d'un manque de vitamines ou de magnésium, Kaspar George Becker m'affirma un soir que Juliette était morte d'une déficience d'univers.

« Vous vous souvenez, elle disait souvent, ça parle trop ! Elle voulait dire qu'aujourd'hui, chacun semble heureux de s'exprimer parce qu'il y a toujours une caméra pour enregistrer ou un micro ouvert : alors, plein de paroles et d'images se déversent de partout. Mais les gens, ce qu'ils voudraient, c'est au contraire trouver des instants de silence pour ne pas avoir à parler, ne rien dire, et que ce silence ne soit pas une solitude... Qu'il se remplisse de monde, de la parole d'un autre, d'un autre encore, afin que ce qui s'entende ne soit plus le sens commun, une bêtise de plus ou une parole de pouvoir, mais une légende en train de se créer afin que se constituent un peuple, des peuples...

Juliette est morte parce que dans sa tête, il n'y avait que du vacarme et plus de place pour le désert, pour le bruit du vent, le bruit de la mer, l'amour d'une personne, même absente, dont elle aurait pu deviner ou imaginer la quantité infinie de gestes d'amour qu'elle lui destinait.

Pourtant elle savait ne rien attendre du facteur et avait appris à n'espérer que d'elle. Elle connaissait le repère absolu du mal, deux personnes de sa famille étant mortes en déportation... Mais, elle n'était pas assez forte. Il y avait encore tant de flou, entre ce mal ancien et un idéal qui se faisait attendre, qu'elle n'est parvenue à s'agripper à rien... Alors, de sa tête se sont retirés les étoiles, ses amours, le bruit des marées, les saisons. *Une déficience d'univers*, je vous dis ! »

22

Attendre un livre porte à l'insécurité.

J'avais cru trouver une belle tranquillité d'esprit en faisant écrire mon livre par monsieur Amédée, mais les cauchemars m'assaillaient de plus en plus, des rêves d'accidents, de meurtres et d'avortement.

Des centaines de feuilles couvertes de mots brûlaient dans de magnifiques champs de colza de la campagne française, au bord de l'autoroute, pendant qu'une ambulance m'emmenait en faisant hurler sa sirène.

Surtout : Kaspar George Becker revenait sans cesse, vêtu d'un grand manteau, deux longues ailes sur le dos qui traînaient jusqu'à terre, il parlait des langues d'Europe centrale et prononçait des phrases que je ne comprenais pas. Je le voyais au sommet d'une église sulpicienne, au bord d'un vide terrifiant qui dominait une ville industrielle... Souvent, je le retrouvais derrière moi, dans ma chambre, dans les toilettes, dans les couloirs de métro, comme si je ne pouvais plus faire un geste sans qu'il soit là, à espionner, à disséquer chacun de mes mouvements.

Sans me retourner, je le repérais au souffle, celui d'un asthmatique pour qui parler est une torture.

D'autres fois, les rêves étaient bucoliques et campagnards, mais tout aussi inquiétants. Kaspar George Becker régnait sur une grande maison, une gentilhommière, au sommet d'une colline et, dans chaque pièce, des gens que je ne connaissais pas marchaient en tous sens, vivaient là leur vie, des gens avec leurs univers, leurs meubles, leurs rues... Dans une pièce, une chambre d'enfant, un très jeune garçon allumait depuis son lit un jouet qui représentait un cygne dont les ailes blanches se mettaient à battre dans un ciel sombre et étoilé. A une autre fenêtre, une femme, vulgaire ; elle parlait de sexe dans une cabine téléphonique...

Et puis un couple, jeune, revenait sans cesse dans les rues de Paris. On sentait bien que c'était eux que Kaspar George Becker préférait, parce qu'il les observait, les épiait, notait, écrivait comme s'il était devenu le comptable de leurs dérives. Le garçon disait... « Il y a tant de choses à voir, tant de choses à effleurer que nos vies n'y suffiront pas...

— Arrêter ? demandait la jeune femme.

— Commencer », répondait-il.

Je me réveillais avec la peau du visage plissée, le front gras et de la sueur sur tout le corps. J'avais beau augmenter la dose de Lexomil chaque semaine, les incertitudes et les silences de monsieur Amédée me donnèrent un jour envie de le tuer. Je pensai trouver dans son corps un secret, celui de mon livre, tant on a besoin de croire que tout est enfoui. Pourtant, je savais bien que la vérité ne pouvait exister avant d'avoir été inventée et que je n'aurais trouvé que le cœur et les entrailles d'un brave homme.

Il fallait donc faire confiance, que j'aie confiance en monsieur Amédée, mon intercesseur en lettres, l'homme par qui arriverait ma nouveauté.

23

On dit que l'amour est la seule chose à ne jamais chercher puisqu'on ne le trouve justement pas de cette manière. Alors, faut-il se planter au coin d'une rue, un printemps et un hiver, et *n'attendre rien ni personne*. Etre là avec ses seules ressources et sa misère. Savoir, être certain que cela peut durer des siècles, mais rester là, car rien n'est écrit nulle part qui puisse exprimer une certitude à ce sujet. Tout n'est qu'approximation, hésitation, compromis. Les films et les romans parlent sans cesse de l'amour, mais la vie se tait. La vie, c'est bruissements, frôlements et caresses... Chacun est organisé pour seulement effleurer, les murs, les passants, les gares, et ne pas être embouti par la vitesse d'un corps lancé depuis des années, dès sa naissance, n'importe où, sauf sur un autre corps.

Les collisions sont des accidents. L'amour est un accident. Tout est orchestré pour qu'il n'ait pas lieu et pourtant chaque projection de l'imagination ne parle que de cela.

Lorsque je pense à l'enfant, ce n'est pas le regret qui s'impose, mais quelque chose de plus mortel. Je vois une longue blessure s'étendre sur les forêts, sur les océans, déchirant le ciel pendant que les hommes et les femmes, tout en bas, se lamentent sur cette plaie qui ne se refermera jamais.

Alors j'erre le long du canal, les yeux à terre,

comme à la recherche d'un canif perdu ou d'une pièce d'identité. Je marche le soir, sans regarder les bateaux, les maisons et même les enfants qui jouent dans le froid sur les tas de sable. Enfin, lorsque je rentre, épuisé, j'allume le poste de télévision, le laisse muet et, assis sur le canapé, je regarde le téléphone, et je sais alors que personne ne viendra résoudre cette énigme : éprouver de la nostalgie pour quelqu'un qui n'a jamais existé.

24

Je me suis posté au coin de l'avenue Jean-Jaurès et de la rue Laumière en me disant : *n'attendre rien ni personne* !

C'était l'heure de la sortie des bureaux et bon nombre de gens me bousculèrent sans s'excuser, aucun ne m'adressa la parole. Les femmes observaient, comme à leur habitude et avec beaucoup de conviction, l'extrémité de leurs chaussures, d'autres, tout aussi déterminées, perdaient leurs yeux dans le vague. J'ai pensé que mon attitude indiquait encore trop de demande... J'ai alors retiré le capuchon que j'avais enfilé à cause du froid, et entrouvert mon anorak pour que l'on remarque mon pull-over chiné.

Une heure plus tard, je me suis mis à tousser. Cette fois, certain qu'une rencontre d'amour ne pouvait se produire avec un début d'angine, je suis reparti chez moi vers le canal.

J'aurais voulu ne pas avoir à parler, de manière à intégrer mon échec en toute tranquillité. C'était compter sans madame Dior, qui venait de lire dans un magazine un sondage sur les passions des Français... Dans l'ordre : les animaux, le football et l'amour. Elle était déçue. Moi aussi. Elle, de ne pas éprouver les passions des Français dans le même ordre qu'eux. Moi...

Croyant qu'en épousant monsieur Dior (elle était née Dolorès Bivar, à Estoril, Portugal) elle allait devenir française, madame Dior venait de prendre cruellement conscience qu'elle ne s'était pas encore fondue dans la nationalité. Bien sûr, elle avait quelques chats et un canari, et monsieur Dior ne manquait pas un match de football. Mais l'amour, en troisième position ! Pour madame Dior, la religion catholique, ou même le pape, qui embrasse si bien les terrains d'aviation, auraient dû arriver juste derrière les animaux et le foot. Car l'amour, elle me le répéta encore une fois, ça ne servait à rien ! Surtout pas pour le paradis... Et en plus, comme il fallait se confesser toutes les fois qu'ils avaient du sentiment, monsieur Dior et elle, elle se serait volontiers passée d'amour pour ne pas éprouver de honte à devoir parler de ces choses-là. Même avec le chuchotement.

25

Aujourd'hui, chacun vit séparé. Séparé d'un autre, d'une autre, des parcelles de vie et des morceaux du monde.

Dans les villes, le ciel est absent, les enfants aussi.

Les amantes dorment seules, ou avec des maris qu'elles regardent dormir alors qu'elles sont ailleurs et songent à la bouche fraîche du dernier baiser de l'autre. Parfois, au creux de leur poignet, elles portent la trace d'un parfum posé au début de la nuit, son parfum à lui, l'absent. Cet échantillon, elle l'a demandé un jour dans un grand magasin. L'amante a dit, je voudrais essayer ce parfum d'homme. Mais elle mentait, car elle le connaissait tellement qu'elle pleurait parfois en portant le minuscule récipient au bord de son visage, au-dessus de sa bouche, comme un encens.

Dans le jardin du Luxembourg où je le retrouve vêtu d'un manteau gris, long, d'une écharpe et coiffé d'une casquette russe à rabats, Kaspar George Becker me dit que l'amour n'est fait que d'apparences, d'apparat et d'artifices. « Souvenez-vous de *Belle du Seigneur* et de ce minuscule morceau d'os, une dent, qui, s'il vient à manquer au sourire de la dame que vous venez de rencontrer, vous fera fuir cette bouche devenue exécrable, alors que vous ignorez tout des mots, gestes, de la capacité à bien ou mal vivre de cette personne. Elle est devenue tout entière une bouche à laquelle il manque un morceau d'ivoire et d'émail.

Ce n'est pas l'intérieur des choses qui motive nos sentiments, seulement leur apparence. La femme à qui il manque une dent n'est qu'une femme à qui il manque une dent, et cela est infime au vu de l'étendue de ses rêves. »

26

Monsieur Amédée m'appela un soir d'une cabine téléphonique. Il semblait inquiet. Je sais que l'écriture peut stresser celui qui prétend la glisser entre ses doigts et ses pensées, et cette inquiétude se traduisait par un débit extrêmement rapide de la parole. Il parla revolver, billets, bandes rivales et de l'ennui. Je pensai qu'en fait, il me résumait hâtivement le roman urbain qu'il était en train de m'écrire : un supermarché, le désespoir, et un vigile qui survient...

Puis, curieusement, monsieur Amédée s'effondra. Je veux dire qu'il se mit à pleurer au téléphone. Des hoquets, mais plus de paroles. Quand sa crise fut terminée, il me demanda si je connaissais le *Bar de l'Oubli* aux Halles. Je lui dis, non, mais que je trouverais.

Une heure plus tard, c'est là que je l'aperçus, anéanti devant une belle affiche qui vantait le rhum Chauvet, avec des couleurs ocre et jaunes qui faisaient envie. Je commandai un punch-coco. Monsieur Amédée entrouvrit son veston et me fit voir son holster pleine peau dans lequel son arme était glissée. Discrètement il la sortit de son étui en se penchant vers moi pour ne pas être aperçu et insista pour que je l'emporte car, dit-il, elle allait lui porter malheur.

C'est glacé un pistolet quand on n'a pas à s'en servir.

J'aurais voulu des explications, qu'on parle littérature, mais je ne pus qu'enfouir dans la poche inté-
rieure de mon pardessus l'arme qu'il me tendait.
« Un Manurhin, comme dans la police », précisa-t-il.
Il me dit :

Voilà, c'est ça la littérature — puisque je sens que
vous insistez — c'est de la merde de trouille, tous les
jours, des peurs qui vous remontent des pieds au
sexe, puis qui s'agglutinent dans les yeux. Tout le
monde a peur, alors dès le début, il faut se couvrir,
voir tout ce qui traîne autour et qui est invisible,
marcher en zigzag pour que les balles de 6.35 ne
sachent jamais où vous êtes. Moi, j'ai échappé à la
dope, au suicide, à la mort en tant qu'assassinat,
parce que j'ai une femme très belle et plusieurs
métiers pour m'évader. Vous comprenez ? S'échapper
c'est s'enfuir en dehors de l'identité, c'est ne plus
être dans sa naissance. J'écris pour vous et vous ne
me connaissez pas. C'est mieux. L'auteur est toujours un étranger à la vie. Il est dedans et à côté, il
navigue à vue, et personne ne sait cela. C'est un
trafiquant, comme les négriers, un trafiquant d'univers, le réel passe en douce vers l'imaginaire et
personne n'y voit rien, tout ce qu'il trouve de beau
ou de sordide sur sa route est stocké et
revendu... Vous savez combien il y a eu de Noirs
emmenés d'Afrique vers les Caraïbes, le Brésil,
l'Amérique ? Quinze millions ! Ça vous en bouche un
coin... Je ne dis pas ça pour vous culpabiliser, les
trafiquants sont toujours amnésiques, et puis les
nègres, on ne les voyait même pas, c'était normal

qu'ils meurent dans les soutes des bateaux, ils étaient invisibles...

... Et les négriers n'étaient pas des salauds : des négociants de La Rochelle, Bordeaux, Lisbonne, honnêtes, tout le monde avait ses problèmes, les nègres, les négriers, les rois, les philosophes, les paysans, et celui de déporter des hommes que personne ne voyait n'en était pas un particulièrement. Tout ça pour vous dire qu'à chaque époque il y a du mal et du malheur présents autour de nous, mais on est tellement surchargé de misères que tout semble normal... Dites-vous bien qu'à Paris, dans les banlieues, des gens vivent comme des esclaves, et nous on se dit, eux ils ont eu la malchance ! C'est là-dessus que j'ai écrit les premières pages : comment le malheur devient invisible...

... Parce que tout le monde en chie, passez-moi l'expression, mais pour réussir ici quand on est africain, faut être surdoué, toujours sur ses gardes, à l'affût. On est des animaux à haute capacité contraints à des emplois de merde... Bon.

Voilà le sac que voulait me vider ce soir monsieur Amédée. Je sentais son revolver peser dans ma poche de manteau et me demandai pourquoi il avait voulu me dire tout ça, dans l'urgence, précisément ce soir. « Vous verrez, me dit-il, en partant, que je ne vais pas mourir épanoui et tranquille. Ce sera dans la bêtise et la méchanceté...

— Vous n'allez pas mourir, monsieur Amédée, vous avez un livre à écrire. »

J'avais dit ça au hasard.

Pour ne pas me retrouver avec deux revolvers, celui que j'avais acheté après le départ de Marie et celui dont je venais d'hériter au *Bar de l'Oubli*, je balançai dans le canal, directement le soir même, celui de monsieur Amédée, en me disant qu'il y avait déjà assez d'armes comme ça à Paris pour tuer les gens qui roulent à vélomoteur, sans phare, le soir dans un grand ensemble.

Madame Dior, qui a le chic pour se trouver dans le hall d'entrée de la Résidence à chacun de mes retours difficiles, me confia qu'elle venait de jeter son vieux vaporisateur à brillantine, vu la couche d'ozone et parce qu'il fallait rester solidaire de la Terre !

J'ai repensé aux étrennes et j'ai sorti un billet de cent francs pour qu'on n'en parle plus. Madame Dior m'a dit, merci pour l'acompte, et elle est rentrée dans sa loge.

Madame Dior est une gardienne qui fait parfois de curieuses rencontres. Elle dit comme ça, sans prévenir, que Dieu se trouvait en face d'elle, chez Ali l'épicier, l'après-midi même et qu'elle l'a vu prendre un pamplemousse et du chocolat aux noisettes.

« Et il a payé ?

— Avec quel argent ? » répond madame Dior.

Dieu est sorti de chez Ali à ses côtés. « Ce jour-là, il était vêtu d'un poncho rayé, de bandes molletières et tirait sur un cigarillo. Il était mal rasé et semblait fatigué. Mais s'occuper des attentats, de la guerre,

des déplacements du pape et de la perestroïka, poursuit madame Dior, faut l'faire... Ça décourage ! » Et
c'est pour ça qu'elle est croyante : « pour encourager
Dieu qui parfois pourrait ne plus croire en rien... »

Ma journée avait été chargée. Je me déshabillai et
pris un bain très chaud aux algues. Sur mon répondeur, Irina demandait que je la rappelle. Mon éditeur
annulait notre déjeuner du mois prochain et proposait
une date pour le mois suivant, c'est-à-dire dans huit
semaines. J'ai pensé qu'il suivait ma carrière litté-
raire avec désinvolture et j'en fus contrarié. Contrairement à une idée reçue, les auteurs ne sont pas des
gens fragiles à qui il faudrait sans cesse tenir la
main. Ils sont, au contraire, extrêmement résistants.
Les maladies à bacilles et bactéries n'ont pour ainsi
dire aucune prise sur eux et il n'y a vraiment que le
sida et l'alcool qui puissent les réduire. Leur maladie, c'est seulement l'orgueil et la solitude.
    Avant de m'endormir, je repensai à monsieur
Amédée, Dieu et madame Dior et me dis que finalement, c'était Clint Eastwood qu'elle avait rencontré
chez Ali. A coup sûr.

27

Hervé ne donnait plus de nouvelles depuis long-temps.

J'appris par la rumeur qu'il avait le sida. Son dernier mot datait de juin 84, il l'avait écrit en sortant de l'hôpital où il avait entrevu Broch, pour la dernière fois : « ... et cette certitude qu'il allait mourir me défigura dans le regard des passants qui me croisaient, ma face en bouillie s'écoulait dans mes pleurs et volait en morceaux dans mes cris, j'étais fou de douleur, j'étais *Le Cri* de Munch... »

Il marche à présent dans le monde comme quel-ques milliers d'autres, avec dans sa tête, inscrite, l'information délirante qui bouleverse sa vie, puisque c'est la date d'une mort, et que cette mort est la sienne.

28

Le 1er avril 1942, l'écrivain Robert Musil dit à sa femme Martha, je vais prendre un bain avant de me mettre à table. Elle le retrouve peu après, étendu sur le carrelage de la salle de bains, le visage « épanoui et tranquille », précisa-t-elle.

L'homme de qualité quittait calmement un monde en plein vacarme, au milieu du gué, presque à mi-siècle.

Epanoui et tranquille, les mots mêmes employés par monsieur Amédée ! Quoi qu'il en soit, mort cool pour un romancier tourmenté.

Moi, j'aimerais mourir d'enthousiasme, ou d'un excès de parfum, le visage enfoui dans la nuque duvetée d'une jeune fille, mourir de question face à un regard, ou étouffé entre deux cuisses refermées, la langue sur un sexe de femme.

Le silence.

Souvent la sonnerie du téléphone retentit et une voix me demande si je vais bien. Je dis oui, et là on s'aperçoit de l'erreur et on raccroche. C'est déplaisant d'être pris pour un autre. Mais les ressources d'une ville sont immenses puisqu'il y a toujours quelqu'un pour se tromper et vous faire croire que c'est vous qui l'intéressez.

Depuis l'histoire du revolver au *Bar de l'Oubli*, la mort était bien dans l'air. Lorsque le téléphone sonna, je sus que c'était pour moi et que quelque chose n'irait pas. Madame Amédée me demanda si j'avais regardé la télévision. Comme d'habitude j'avais coupé le son et ne pus que répondre non. Elle m'apprit le décès de son mari. Je lui demandai aussitôt de m'expédier les pages de mon roman. Elle me dit que tout s'était passé très vite, cet après-midi, devant la succursale de la BNP d'Ivry, qu'il avait pris une décharge en pleine figure et c'est la tache de sang sur le pavé de banlieue que la télévision avait filmée. Ça venait de passer au journal et elle n'avait pas eu le réflexe d'enregistrer. Je lui promis de surveiller le dernier flash et de lui envoyer la cassette. Machinalement je remontai le son, mais on en était à la météo. Dépression, humidité, froid, brouillards matinaux... Images du désert algérien, palmiers et dunes sous la neige. « Une première dans le siècle » déclara l'homme du temps qu'il fera peut-être, avant de comparer une photo satellite de l'Europe à un dahlia (en conséquence, il portait un dahlia à l'endroit de la pochette).

Je me demandai si je ne devrais pas avoir au plus tôt une *discussion informelle* avec le docteur Chestonov pour parler des assassinats, des perturbations atmosphériques et des romans qui, bon gré mal gré, devaient continuer de s'écrire.

Sang à Ivry et neige sur le Sahara, de toute évidence, monsieur Amédée avait eu droit à une jolie mort de télévision.

II

L' ILE MYSTÉRIEUSE

« *N'avoir ni paradis ni enfer, c'est se retrouver
intolérablement privé de tout.* »

George Steiner.

1

C'est à la piscine de la Porte de Pantin, que j'aperçus Simon et Marianne pour la première fois.

Je les avais très vite repérés parce qu'ils semblaient s'être mis en scène et interprétaient des séquences successives de leur vie comme si les autres n'étaient là que pour les regarder. Ils s'épiaient, parfois s'ignoraient, certains que des baigneurs curieux les observaient.

Elle portait un maillot, une pièce bleu fluo avec des liserés jaunes, lui, un slip panthère et des lunettes de soleil carrées.

Ostensiblement, Marianne boudait, faisait la tête en lui tournant le dos, elle soupirait, tirait quelques bouffées d'une cigarette. Lui restait plongé dans la lecture de petites annonces, sirotant de temps en temps un cocktail de jus de fruit.

D'un bond elle avait sauté sur ses genoux, l'avait embrassé dans la nuque, et pendant que se déroulait un baiser très hollywoodien, il avait déployé son journal autour de leurs visages comme un censeur qui voudrait que l'on remarque à tout prix ce qu'il est censé dissimuler. Alors que le verre de Simon dans une seconde ou deux allait se renverser, je m'étais levé pour l'éloigner. J'entendis alors comme une plainte... Mais il était impossible qu'ils puissent pleurer... A l'instant où je me saisis du verre de jus de fruit le journal tomba et je pus voir à nouveau le visage de Simon collé à la poitrine de Marianne. Il était bouleversant, je pensai qu'il souffrait. Malgré leur jeunesse, le maillot fluo de Marianne, les lunettes dérisoirement mode de Simon, ils m'apparurent soudain comme deux petits vieux misérables qui ne comprenaient rien au monde dans lequel ils tremblaient.

2

« Est-ce qu'il y a un instant où l'on peut dire sans se tromper, aujourd'hui, j'ai perdu ma jeunesse ? » avait demandé Marianne...

J'observais Simon qui allait plonger.

Il avait demandé à Marianne de le regarder et maintenant il était sur la planche flexible au-dessus de l'eau transparente de la piscine. Elle pensa qu'il était pâle et un peu maigre et qu'il devrait faire des U.V. pour avoir meilleure mine. Se renseigner là-dessus. Il sautillait. La planche laissa entendre un léger bruit, un couinement. Il allait sûrement passer la main dans ses cheveux, les ramener en arrière, les lisser. Il promenait souvent la main dans ses cheveux car ils étaient fins, légèrement ondulés, mais fins comme ceux d'un enfant. Elle lui disait sans cesse de les laisser tranquilles, parce que ça ne changeait rien, ça les ébouriffait un peu, mais rien de plus. C'est simple, il fallait les couper. Mais lui croyait, puisque ses cheveux étaient fins, qu'une fois coupés, sa tête deviendrait minuscule, que les gens dans la rue se retourneraient en pensant que ce garçon n'avait pas de chance de porter une tête sans auréole.

Toujours sur le plongeoir, il trépignait et passa enfin la main dans ses cheveux. Il ne regardait pas vers elle, mais sérieux, les yeux droit devant, vers les cabines de bain. Un bruit de voix. Marianne tourna la tête. . Deux garçons agrippaient le maillot d'un troi-

73

sième pour le jeter à l'eau... Ça commençait à faire long. Machinalement, elle lança un regard vers sa montre, mais elle avait oublié qu'elle l'avait retirée pour la laisser, à cause du chlore, dans sa poche de manteau. Au moment où elle se retournait pour consulter la pendule murale de la piscine, retentit le bruit du plongeon de Simon. Trop tard, bien sûr, pour Marianne qui ne le vit qu'au moment où il ressortait de l'eau...

Elle sait déjà qu'il va râler... T'es vraiment pas sympa avec moi... Je te demande une toute petite chose etc... C'est exactement ce que dit Simon, une minute plus tard, en ajoutant que c'était dommage pour elle car il avait superbement plongé. Elle se tut et regarda les marques rouges qu'il portait sur le ventre.

Dans le wagon du métro, lorsqu'il avait étendu ses jambes sur le siège d'en face, elle s'était fâchée et, en regardant les graffitis des taggers, ils avaient imaginé un immense roman qui s'écrirait dans un code caché sur la mosaïque des stations et que seuls les vrais amants sauraient décrypter.

— Tu sais ce que c'est qu'une vraie amante ? Une femme qui donne son corps à un homme en sachant qu'il s'en ira juste après rejoindre une autre femme avec qui on le voit dans les rues et les magasins de son quartier...

— Un vrai amant, c'est un homme que l'on ne voit pas. Il dépose sur le corps d'une femme un parfum qui la fait pleurer lorsqu'il est absent. Il est un songe, une ombre qui entre dans son corps et qu'elle ne peut oublier, justement parce qu'il est sans visage...

3

On les aperçoit le long du canal.

Le policier qui rentre chez lui les regarde, puis continue sa marche. Le ciel est noir et sans étoiles. Ils marchent, comme s'ils n'allaient nulle part et que justement leur habitation soit le canal. Un néon bleu est accroché au loin dans l'obscurité, suspendu, *Le Cargo.*

Peut-être prend-elle du plaisir à lui dire ce soir des mots orduriers, peut-être est-ce la seule chose qu'elle ait trouvé pour qu'il l'écoute, qu'il repère le son de sa voix au milieu du tumulte. Lui, il a les mains enfoncées dans son blouson, elle a passé son bras autour du sien. Parfois elle se décroche de lui pour ramasser un gravier ou un caillou et le jeter dans l'eau du canal puis elle revient accrocher son bras, parce qu'elle a peur qu'il coure et s'enfuie d'elle, qu'il s'arrête essoufflé pour un visage lumineux, une auberge dans laquelle il entrerait pour manger, se réchauffer, pour aimer...

Il pense que cette fille qui marche à côté de lui est peut-être une sorcière venue prendre sa vitalité, l'énergie de ses muscles et qu'elle le laissera glisser le long du quai, dans l'eau glacée du canal, lorsqu'il n'en pourra plus, qu'il sera épuisé de vivre...

Mais lui, il pourrait la pousser, à l'instant et qu'on n'en parle plus. On dirait, une jeune femme a glissé dans un canal... C'est un accident et, en le voyant pleurer, les femmes devant leur téléviseur seraient émues parce que c'est un homme, et qu'il pleure.

Elle passe la main dans ses cheveux et dit qu'elle boirait bien du vin chaud. Elle dit vin chaud, et c'est à la cannelle qu'elle pense.

Les entrepôts qu'ils croisent ressemblent à des garages de l'enfer, et de loin leur parvient le bruit d'eau des écluses. Des fenêtres sur la rive d'en face sont éclairées, des dizaines, avec le scintillement des écrans de télévision. Une ombre les traverse parfois, l'ombre indifférenciée d'un homme ou d'une femme. Ils regardent ces alvéoles où séjournent des existences et ce damier vertical sur lequel le hasard joue du rêve, du plaisir ou de la solitude.

Ils entrent au *Cargo* où des attardés somnolent devant des verres d'alcool blanc. Il y a une odeur de cigare en suspens et le serveur les a repérés, l'œil mauvais. Il voudrait déjà les voir repartis, mais ils s'installent. Elle demande un vin chaud et, voyant Simon hésiter, d'office rectifie la commande et montre deux doigts au serveur.

Les consommateurs les ont regardés en silence. Le type qui joue du piano continue d'interpréter ce qui ressemble à du Duke Ellington.

Ce soir, elle avait envie de faire l'amour et lui n'a pas voulu. Elle a pensé que quelque chose s'était brisé puisqu'il parlait sans cesse de ce mystère de leurs corps et du désir. Il a parlé de fatigue et ils sont sortis pour penser à autre chose.

Une Eurasienne observe Simon. Marianne l'a aussitôt remarquée. Parce qu'elle est belle, mais surtout différente. Elle demande à Simon s'il désire cette fille... Si elle se levait et qu'elle vienne vers eux en le fixant, est-ce qu'il s'en irait avec elle ?

Il ne répond pas. Elle se tait, car elle sait que ce soir il pourrait partir et qu'elle les regarderait s'éloigner.

4

La peste ne s'étend pas sur Paris. Nuls cadavres étendus sur le pavé que viendraient entasser dans des tombereaux de bois, tirés par des chevaux indifférents, quelques macabres éboueurs. Pour l'instant, la guerre et le malheur y sont absents et les langues bifides des gargouilles de sa cathédrale n'ont à exhorter aucun maléfice qui pourrait venir s'abattre sur elle. La lèpre de certains quartiers s'empare parfois de la peau de ses habitants, mais les pierres rénovées des monuments et l'acier d'un Opéra nouveau savent, pour un promeneur insouciant, dissimuler ce que son *Nikon F 801* n'est pas venu chercher. Des êtres paisibles s'y côtoient, et s'il est vrai que des promiscuités hasardeuses provoquent des gestes d'énervement, cette ville est plus envahie de rêves et de songes que des corps mêmes qui les imaginent.

Parfois, au pochoir, s'inscrivent sur des crépis effrités, des prénoms, se dessinent un visage de légende, une phrase, mais rien, aucune réponse aux troubles regards d'hommes et de femmes qui interrogent leur existence et cherchent, à l'intersection de l'espace et du temps qui leur ont été assignés, pourquoi eux s'y sentent absents.

*

Cette ville est autour de Simon et de Marianne. Ils disent Paris et c'est le mot qui désigne un ventre, un oreiller, un rêve, un spectacle. Ils n'y sont pas nés, mais de même que les amis se choisissent, ils l'ont élue, s'y sont orientés comme vers un phare au milieu de la brume. Cette ville est leur ville, leur lieu, le berceau de leur vie d'aujourd'hui.

Lorsqu'ils errent dans ses quartiers, ils se disent que si leur marche est réussie, bien rythmée, leur ville va acquérir un *plus*, et alors ils saluent les kiosquiers, indiquent aux étrangers, avec quelques mots d'italien, d'allemand ou d'anglais, où se trouve le musée Rodin, ou encore, la maison habitée par Camille Claudel au bord de la Seine, sur la face nord de l'île Saint-Louis.

Dans les files d'attente des cinémas, il leur arrive de sourire au couple devant ou derrière eux, partenaires provisoires d'une tribu qui va voir un même film, à l'instinct, sans s'être consultés.

D'autres fois, cette ville qu'ils ont pourtant élue, ils la détestent, parce que tout y est inaccessible. Les cercles, les milieux se multiplient et leurs accès en restent fermés. Le maquillage, la coupe de cheveux, l'habillement, chaque détail revêt une importance qu'ils jugent excessive. Des bas d'une certaine texture, de même que les robes, le pays d'origine des bottes, la soie des pochettes et les dessins des chemises sont autant d'indices qui renseignent sur une manière de vivre plus ou moins en accord avec les credos d'un style qui pourrait s'appeler d'*appartenance*.

Il y fallait prouver, à tout instant, que l'on était quelqu'un, en plus d'être une personne.

Simon dit : nous habitons la ville la plus snob du

monde. Marianne répond qu'il ne sait rien des autres capitales, et que comme d'habitude il tranche sur un sujet qu'il ne connaît pas... Une dispute parmi d'autres qui aurait pu dégénérer et qui, cette fois, ne prend qu'une demi-minute.

5

« Il y a tant de choses à voir, tant de choses à effleurer, que nos vies n'y suffiront pas...

— Arrêter ? demanda Marianne.

— Commencer », dit Simon.

Pour l'heure, ils ne se lamentent pas. La vie n'est pas exaltante, elle n'est pas à mourir non plus.

Elle n'est que désarmante. Au sens littéral, puisqu'elle semble leur ôter toute chance d'être à même de l'agresser pour la façonner à leur volonté.

Elle attend la réponse d'un magazine qui doit l'embaucher comme documentaliste. C'est ce qu'elle a trouvé de mieux avec sa licence d'histoire de l'art.

En attendant, elle sert des hamburgers dans un fast-food des Halles, près de l'entrée du RER. Elle porte une *jolie* tenue blanche rayée de rouge, une casquette, et prend ses repas avec Rosa, au *Bar de l'Oubli*, histoire de décrocher un peu des quick, des cheese, des ketchup, des cokes et des super-king...

Rosa est belle, guadeloupéenne, et veut être comédienne. Parfois, un photographe la remarque et lui propose de poser pour lui, dehors, sur le parvis de la place des Innocents. Il dit qu'elle a un beau visage...

Rosa sait qu'à coup sûr il lui demandera son numéro de téléphone, mais elle rit, elle a un répondeur, et elle le laisse branché en permanence...

Elle dit à Marianne qu'elle aime que les hommes rêvent. Elles s'entendent bien et elles parlent parfois de Simon.

Lui, il enregistre des sons, le vent, les marées, le flux et reflux de la mer, l'orage, le chant des oiseaux. Ce n'est pas exactement un métier qu'il aurait un jour choisi... C'est une occasion, une rencontre avec un passionné quelques années plus tôt qui avait décidé de ce travail épisodique. Seul, ou avec Tournier, l'homme qui l'avait initié à l'embuscade et à l'attente, la technique en somme, Simon effectue de courts voyages vers les lieux, le plus souvent des étangs, où transitent les oiseaux migrateurs. Il a dû apprendre par des livres et des banques sonores à reconnaître des silhouettes et des chants d'oiseaux dont, jusque-là, il ne connaissait rien. Pour l'instant, il s'est rendu à Ecluzelles-Mézières près de Dreux, enregistrer de grands cormorans, des hérons cendrés, et au lac de Der-Chantecoq en Champagne pour rapporter le chant des colverts, des oies cendrées, des cygnes de Bewick et des cygnes sauvages...

Parfois, le matin, à la Résidence de l'Espérance où ils habitent, mixé au son de la corne de brume d'un bateau, Simon réveille Marianne avec le chant des fauvettes orphées ramené, lui, des dentelles de Montmirail.

6

Lorsque Marianne rentre abattue, déprimée, elle s'allonge, un walkman sur les oreilles, ne parle plus de la soirée et écoute des cassettes de relaxation, ou d'un rock acide des plus violents. Simon perçoit le vague grésillement des écouteurs lorsqu'il s'approche d'elle pour lui proposer un yaourt, un fruit ou encore un verre de Coca.

Des amis leur ont fait découvrir un alcool d'Oaxaca (Mexique) qui chauffe la tête. Parfois, lorsqu'une humeur maussade les envahit dans le même temps d'un même soir, ils se versent de longues rasades de mezcal — extrait naturel de magey, aime préciser Simon — et après quelques verres, écrivent des lettres au président de la République, à l'archevêque de Paris ou encore à un directeur de chaîne TV pour réclamer de l'espace, du bonheur, un droit à l'errance, à l'erreur... Ils finissent par rire, parfois par pleurer... « On n'est même pas une génération ! dit Simon, chacun se révolte dans son coin. Contre du vent... »

Marianne se demanda si, du temps de Stendhal, les hommes et les femmes ressemblaient à Fabrice del Dongo, à Julien Sorel, à madame de Rênal ou à Clélia. Si des gens avaient vécu ces passions que les romans décrivaient et si, à d'autres époques, ces mêmes sentiments pouvaient disparaître. Puis comme ses questions appelaient la réponse de Simon qui ne venait pas, elle demanda ce qu'il attendait d'elle, ce qu'il comptait faire avec elle. Finalement : est-ce qu'ils attendaient l'un de l'autre les mêmes choses ?

Pour en terminer, Simon répondait : « Oui, sans doute... »

Marianne, qui croyait tenir là le début de discussion qu'elle souhaitait, enchaînait : « Alors parlons-en ! »

7

Ni repliés, ni déployés, ils se sentent pliés. Pliés à tout, aux lois, aux modes, à la pesanteur... Souvent, ils s'imaginent vivre à une époque différente mais finissent par penser que celle-ci vaut toutes les autres.

Ils s'évadent alors avec des mots où on peut repérer azur, banquise ou quelques noms de pays qui évoquent le corail... Des décors de mots qu'ils inventent pour les lancer dans le ciel, juste au-dessus de leurs têtes, près des nuages, afin de les regarder, et de se donner l'illusion que ce qu'ils vivent, là où ils sont, peut s'anéantir par la seule force de ce que leurs bouches prononcent.

Elle dit alors qu'elle va partir pour l'Antarctique, résister des mois aux glaces et au tourment du froid, sentir sa peau durcir, ses doigts s'engourdir, et ne penser qu'à une chose : vaincre la mort du froid, du désespoir, la mort des glaces.

Lui, parle d'Amazonie ou d'un océan à traverser, non pour rejoindre un continent, un océan à traverser de haut en bas pour aller à la rencontre du centre de la terre. Oublier alors l'air et l'azur, le ciel et les étoiles pour s'enfoncer dans le monde d'où avait surgi la première vie.

Ils se croient pris entre des forces qui les dépassent : un excès de monde qui leur parviendrait par toutes sortes de réseaux, et en même temps, une absence de monde, parce que ces images qui scintillent sur des écrans ne sont pas le monde.

C'est un îlot détaché sur lequel ils ont le sentiment de séjourner comme après un long sommeil ou un naufrage, sans souvenir de ce qui a pu se produire, entre le moment où un désir sans forme mais violent les aurait habités, et aujourd'hui, où c'est une absence de désir tout aussi tenace qui les assomme. Une souffrance.

Le contraire d'une apathie où rien n'aurait d'importance, bien au contraire, une souffrance de manque, comme si le reste du monde se trouvait à l'autre bout de l'univers et qu'ils crient sans cesse, eux, sur leur îlot désert, crient qu'ils veulent toucher, prendre, recevoir, donner, qu'ils souhaitent des soupirs, des mots, des râles et des pieds qui dansent.

*

Aujourd'hui, Marianne porte une jupe courte, un collant noir satiné et des bottines à œillets chromés. Simon, un blouson de cuir, un pantalon de toile et des bottes mexicaines. Ils sont allés une fois de plus au cinéma, puis ils iront sans doute grignoter des muffins et de la tarte à la rhubarbe dans un salon de thé, juste à côté de Notre-Dame.

C'est ce qu'ils nomment un dimanche *glauque*, où rien de captivant n'est envisageable puisque tout semble fermé au moindre désir. D'ailleurs aujourd'hui, ils ne désirent rien, sinon se laisser aller où les mènent leurs pas. Ils ont seulement dit, vers deux heures : « Si on sortait... »

Et l'après-midi s'était calqué sur ce souhait informel fait d'hésitations, de nonchalance et de frilosité hivernale.

8

Les vacances, les balades à la pyramide du Louvre, à l'arche de la Défense, au bois de Saint-Cloud gardent à leurs yeux une place privilégiée. Mais, de leurs loisirs, celui qui continue de révéler le plus de mystère et d'attrait reste de loin le cinéma.

Alors que l'on aurait pu croire que d'assister aux événements du monde, survenus à d'autres, à travers des images de télévision ou de magazines les aurait portés vers la lecture ou le voyage, et donc les aurait poussés à se soustraire à des images supplémentaires, c'est au contraire dans les salles obscures qu'ils viennent chercher des histoires et des sentiments qu'ils semblent incapables de susciter dans leur vie quotidienne. La passion, l'extravagance, la foi étaient forcément ailleurs, c'est-à-dire dans les films dont ils attendent bouleversements, larmes et serrements de cœur. Les héros qui vont au bout d'un idéal, quitte à mourir, et mènent à l'extrême une utopie, un rêve tenace sont ceux auxquels ils s'identifient le plus. S'ils retournent plusieurs fois assister aux films qui les emportent aux limites du possible et du réel, c'est autant pour retrouver l'état extatique dans lequel ils avaient été plongés dès la première vision, que pour décortiquer les mécanismes et méandres qui ont pu conduire des hommes et des femmes à de telles dérives d'excès.

Ils sentent, en fait, leur vie engagée sur une voie étroite, une route médiane, où tout ce qui pourrait ressembler à un débordement, une folie, même passagers, semble non pas interdit, mais pire : impossible.

Plus que les exploits réels de navigateurs solitaires ou de traverseurs de Sibérie, certains films les bouleversaient, car s'y mélangeaient violence, passion et extase... D'autres, dont le héros mollasson trimballait à travers une dégaine désabusée un désenchantement dans lequel ils se retrouvaient, les propulsaient vers des zones floues, à l'opposé de leurs aspirations ou parallèles à leur monde qu'ils jugeaient morne, cloisonné, dépourvu de toute fantaisie et de fol espoir.

9

On voit ça souvent, des gens qui marchent vers un domicile comme s'ils se rendaient en visite au musée d'histoire naturelle, ils marchent, étrangers à la rue, aux feux rouges, aux gens croisés, ils vont machinalement vers un lieu dont ils connaissent chaque recoin et pourtant, il y a là des animaux préhistoriques qui les attendent, d'un autre temps, des cœlacanthes et des astéroptéryx.

Ils pensent à l'infini du temps d'avant et l'infinie étroitesse du temps présent.

*

Marianne rentre chez elle, c'est-à-dire dans l'appartement qu'elle partage avec Simon. Elle va *retrouver* cet homme alors que c'est elle qu'elle voudrait d'abord *trouver*, être certaine qu'elle est, à cet endroit et à cet instant, désireuse d'aller vers le lieu où se déroule une histoire commencée il y a quelques années. Elle ne prend pas le temps de poser clairement cette question, ce qui veut dire qu'elle n'y répondra pas. Marianne ne se pose pas la question parce qu'elle se dit qu'elle est un mirage, une image de Marianne, une remplaçante qui agit, vit, regarde comme si elle était Marianne. Mais certains soirs, elle ne vit pas, c'est un ressort qui agite ses paupières, fait battre son cœur, actionne ses jambes. Cette jeune femme qui marche et se prénomme Marianne est une enveloppe avec, sous sa peau, un précipice. Elle est un décor de femme qui sort du métro. Elle a entendu les portières claquer, ses pas résonner sur le béton, et le parcours mémorisé qui va de la station Jaurès au troisième étage d'un immeuble sera parcouru comme si elle avait rendez-vous. Elle croit avoir quantité de certitudes sur l'homme qu'elle va rejoindre et pourtant, il est un brouillard.

Elle sait, elle touche, mais c'est autre chose qu'elle voudrait connaître, une tragédie insondable, un meurtre, un cauchemar atroce, une félonie.

La course au bonheur qu'elle croyait avoir entre-prise est une course sans gloire, anonyme, elle a lieu dans une île détachée du monde, en plein Paris, dans le XIXe arrondissement, au troisième étage d'une résidence qu'un promoteur avait baptisée, de l'Espé-rance, du nom même de l'endroit où avait échoué, en plein océan, Robinson Crusoé.

10

Le *Bar de l'Oubli*, Rosa.

Marianne la regarde parce qu'elle est belle et que sa peau métisse est satinée. Elle l'écoute et s'amuse à cause du léger chuintement de son parler.

Rosa dit, je fais des fautes d'orthographe, j'ai longtemps dit captus pour cactus, aux Antilles il y a des sorcières aux dents déchaussées qui rôdent la nuit autour des petites filles, ma mère m'a toujours recommandé d'avoir sur moi dix francs, une culotte propre et ma carte d'identité... Je me souviens que longtemps j'ai eu peur de savoir que les morts allaient si loin sous la terre... Je suis arrivée à Paris à dix ans et suis restée les cinq années qui suivirent à Drancy sans revoir Paris... Je me souviens que quand j'ai eu mes premières règles j'ai pensé à des flamboyants, je me souviens encore que des garçons et des filles s'enfermaient dans des garages pour coller leur bouche au tuyau d'échappement des voitures, que des hommes riches m'ont emmenée dans une Rolls vers l'océan, qu'ils ont voulu enlever ma robe et que j'ai couru jusqu'à un gardien de phare en criant, je me souviens que j'ai respiré de la cocaïne, que j'ai pris de la mescaline, que j'ai été au milieu des drogués, que je ne suis jamais entrée dans leur jeu et n'ai pas eu à en sortir... Je crois que l'on peut attendre toute une vie pour trouver le mot juste... J'ai huit frères et sœurs que je ne revois jamais... Un jour ma grand-mère m'a offert un éventail en disant

« pour compléter ta grâce »... J'ai acheté les livres des éditions Delachaux & Niestlé pour connaître le nom des oiseaux, le nom des fleurs, le nom des papillons et je me dis que lorsque je saurai tout cela, j'en connaîtrai un peu plus de la vie du monde, j'ai joui pour la première fois il n'y a pas longtemps, j'avais vingt ans, j'aime le théâtre et voudrais être tragédienne, je lis les pièces de Bernard-Marie Koltès, je pense souvent qu'il y a trois siècles j'étais une Africaine et qu'il faut que je me force à retrouver des instants de cette vie-là, que forcément des ancêtres à moi ont voyagé allongés et serrés dans des soutes de bateaux, qu'ils ont été battus, fouettés, marqués au fer sur la poitrine, enchaînés, qu'ils ont été vendus, qu'ils ont porté des colliers de fer au cou, des bracelets de fer aux poignets, des entraves de fer aux chevilles, que leurs chaînes étaient cadenassées, qu'on les appelait *bois d'ébène* et qu'on les échangeait parfois contre de la verroterie...

Rosa avait eu une hésitation, puis... Je peux te dire que je ne bois pas de café, que je ne mange pas de sucre, que je ne fume pas, pour me souvenir à ma façon, que c'est à cause de toutes ces plantes nouvelles et bonnes que mon histoire a changé de continent...

Rosa et Marianne s'étaient regardées. Elles s'aimaient et ne se l'avoueraient pas.

Marianne dit : « C'est au *Bar de l'Oubli* qu'on se souvient le mieux... »

11

Ils ne s'imaginent pas dans un appartement plus spacieux, et celui qu'ils occupent au troisième étage de la Résidence de l'Espérance, avec ses fenêtres qui donnent sur un canal, leur convient. Rempli d'objets sophistiqués avec chiffres numériques affichés, ils jouent avec eux, en usent et les plient aux fonctions pour lesquelles ils ont été achetés : images et sons, tout est restitué sans la moindre égratignure. La perfection est à leur portée puisque aucun parasite ne vient sanctionner une défaillance, et ils en sont presque à désirer retrouver le bruit, le bruit de fond avec ses grésillements, ses parasites : des maladresses en somme.

D'ailleurs, ils ne se sont pas vraiment installés à la Résidence. Ils ont conservé la moquette de l'ancien locataire, ses papiers peints et se sont contentés de repeindre les toilettes et la cuisine. Pour le reste, étagères, penderies, ils ont seulement eu à poser leurs affaires. Tout juste s'ils les avaient retirées des cartons. On pourrait croire qu'ils sont là en transit, incertains du temps qu'ils auront à vivre, dans ce lieu, ensemble.

Comme il n'y avait pas de portemanteau, ils posèrent blousons, vestes et imperméables sur une malle en bois que Marianne tenait de son père, placée simplement dans l'entrée. Quant à la salle de bains, leur prédécesseur ayant eu un goût marqué pour les naïades et les porte-savons à gueule d'hippocampe argenté, ils trouvèrent ça kitsch au début, puis ne les remarquèrent plus et finalement aucun des deux ne fit l'effort d'entrer dans un magasin pour acheter du mobilier de bain qui leur aurait quelque peu ressemblé. Pourtant, ils n'étaient pas indifférents aux intérieurs, mais ils donnaient l'impression d'attendre et de prendre du temps pour porter de l'intérêt à des choses qu'ils continuaient de juger secondaires.

Ils l'avaient pourtant imaginée, cette existence qu'ils auraient à mener une fois sortis de toutes les contraintes adolescentes...

Ils s'étaient vus dans des appartements plutôt confortables, cuir et moquettes claires, un dernier étage pour regarder de nuit la ville dans laquelle ils vivent. Regarder de haut le monde, un ascenseur intérieur, une terrasse avec jardin d'hiver et des amis qui seraient venus les veilles de week-end, des amis partageant les mêmes rires, aux préoccupations identiques, avec lesquels ils auraient projeté des escapades en voilier autour de la Corse ou en house-boat sur les canaux du Sud, auraient comparé leurs appareils photo et discuté de sport, de matchs exceptionnels, de concerts, en réaffirmant une fois encore qu'ils détestaient la politique, mais que tout de même, on n'avait rien trouvé de mieux que la démocratie. Tout aurait été futile et amusant, ils auraient deviné depuis longtemps que leurs amours seraient provisoires, auraient parlé de figures emblématiques de la musique rock, d'acteurs, des années soixante qu'ils n'avaient pas vécues, des années soixante-dix, mornes, qui les avaient vus grandir et ne leur auraient laissé aucun regret, pas plus que les golden boys arrivés plus tard et qu'ils avaient carrément haïs. Lorsque l'un d'entre eux aurait voulu casser leurs nonchalances pour aborder des sujets plus sérieux, ils auraient énoncé, dans le désordre, les valeurs et préoccupations qui auraient été les leurs et auraient dit : solidarité, tolérance, tiers-monde... Ça aurait consisté, dans la pratique, à prononcer ces mots-là à chaque occasion où le sérieux l'emportait sur le dérisoire, ne rien en faire, mais se sentir heureux d'émettre des pensées généreuses.

Leur vie aurait pu continuer comme ça, sans encombre majeur, avec seulement des amertumes grandissantes qui leur auraient collé à la peau, les déguisant en fantômes capables de seulement exprimer des mots qui n'engageaient à rien. Et puisqu'ils auraient appris que la dérision sauvait de tout, ils auraient tous su rire de ce vilain rire qu'affectionnent ceux que rien n'affecte.

12

Cette conversation avec Rosa, au *Bar de l'Oubli*, avait tant troublé Marianne, qu'elle y pensait, y repensait et qu'il fallut bien un jour en parler avec Simon.

Une communauté, pleurer, avoir des états d'âme pour elle, se sentir en appartenance par des origines, un lieu, une migration, un désastre, leur était étranger. Bien évidemment, il y avait la nation, le pays, la France dont ils se sentaient solidaires, mais ce qu'ils éprouvaient ne leur semblait pas aussi intense que ce qu'avait exprimé Rosa pour l'Afrique (où d'ailleurs elle n'était jamais allée). De quelle tribu, couleur, peuplade faisaient-ils partie ? Les Parisiens comme eux ? Les jeunes de leur âge qu'ils retrouvaient à des concerts ? Qui auraient-ils pu appeler nos frères, nos sœurs ? Il leur sembla que ce sentiment d'attention, voire de compassion s'était éparpillé et était devenu périphérique.

Un instant, ils imaginèrent...

... Il y aurait le cliquetis des roues des chariots et les flaques de boue qui éclateraient sur leur passage. Ils seraient Marianne et Simon assis derrière des chevaux arabes sur deux planches de bois. Les gens des villages les regarderaient passer et eux renoueraient les foulards de soie rouge enroulés autour de leurs poignets. Ils traverseraient des forêts sans s'arrêter, pressés, comme si de l'autre côté des lisières un autre monde les attendait. Ils seraient des tziganes de l'univers, sans attaches ni repères, des errants du temps et des espaces. Un enfant aux cheveux noirs — qui serait leur enfant — jouerait de l'accordéon, debout sur une carriole, pour épater les filles et lancer au ciel la musique qui sait faire danser les corps, les remplir de nostalgies, de larmes et de paysages...

« Eloignons-nous ! » dit Marianne.

13

Un soir du mois de septembre, le temps était encore extrêmement doux, ils étaient montés en haut de leur immeuble pour savoir s'il existait un passage pour accéder au toit. Ils trouvèrent une porte de fer fermée et redescendirent déçus. Ils avaient voulu profiter d'un ciel clair pour s'allonger une partie de la nuit, les yeux tournés vers les étoiles. Une semaine plus tard, Simon, à force de fureter, trouva un immeuble des Buttes-Chaumont où l'accès à un toit en terrasse se faisait aisément. Le soir même, ils s'y rendirent, et là, ils restèrent une partie de la nuit à fumer tranquillement des cigarettes, sans se parler, allongés sur un ciment dont le goudron d'étanchéité était craquelé par endroits.

Leurs corps oubliés planaient bien au-dessus de Paris, détachés.

14

Ils se sentent curieusement là et pas là.

Là, parce qu'ils vivent, qu'ils respirent et que leurs yeux disent que c'est une ville qui est autour d'eux, avec des immeubles, des voitures et des gens qui leur ressemblent : anonymes. Absents, parce qu'ils ne comprennent pas grand-chose à tout ça, à ce bruit, à cette gesticulation.

Ils n'en finissent pas de chercher dans les choses et les êtres des réseaux qui les rassurent, les assurent d'être là où ils sont, seuls spectateurs d'eux-mêmes, et pouvoir dire qu'aujourd'hui ils ont frémi en voyant le coucher du soleil sur la Seine, depuis le Pont-Neuf, ou tremblé à l'écoute d'une scie musicale à la sortie du métro de la place Clichy... « Des images et des sons qui ne venaient ni d'un concert ni d'un film, elles étaient miennes, dans ces lieux, dérisoires, à personne d'autre. »

La mode est aux sports de glisse, sur la neige, l'eau, l'herbe, des sports sans point d'appui, portés par la vitesse et l'onde des corps mouvants du dessous...

Eux, ils fréquentent parfois la piscine de Pantin, mais c'est à chaque instant qu'ils ont l'impression de surfer sur la crête de leurs sentiments. C'est ça, ils effleurent et dérapent. Ils pratiquent un jeu, sans arrivée ni départ, qui consiste à conserver son équilibre le plus longtemps possible, éviter de se faire mal et garder la pose, pour la beauté du geste, éphémère.

Une vie de glisse sur un monde mouvant.

Il n'y a aucune plaie sur leurs corps, ni de sang aux commissures de leurs bouches. Leurs visages sont clairs, nets et leurs regards intenses. Ils semblent pleins de vie, avides de beautés, de voyages, de douceurs. Leur souffrance est ailleurs. Pas non plus dissimulée à l'intérieur d'un organe vital et leur cœur bat à un rythme régulier, plus élevé que celui des sportifs, mais sans emballement excessif. Un mal. Vague. Comme un vêtement trop lâche ou trop étriqué qui gêne à certains moments, au dernier, lorsqu'il s'agit de s'asseoir ou de courir. Un mal de l'extérieur qui révélerait un mal obscur enfoui à l'intérieur. Des bouffées invisibles rôdent autour d'eux et font alterner rires et effondrements.

« Eloignons-nous, dit encore Marianne, fuyons-nous, osons cela pour ressusciter enfin avec une vraie histoire entre un homme et une femme emplis de peur et d'inquiétude, non sur l'avenir, mais sur eux. Faisons en sorte que notre histoire soit une errance où chacun joue sa vie à l'instant où il regarde l'autre ou que ses yeux s'en détournent — une vie d'effroi, d'arbres arrachés, de ciels qui se déchirent —, osons l'orgueil et la trahison, crevons de jalousie pour un retard, souffrons de rancunes et de tortures... Mais gardons-nous à jamais de l'amour poli... »

15

Ils achetaient peu de romans. Ses livres à lui portaient sur les oiseaux, les techniques sonores, les étoiles et la lumière. Marianne revenait régulièrement avec une nouvelle méthode pour exploiter au mieux les ressources naturelles, celles du cerveau, des muscles, ou comment trouver la respiration juste, celle qui met l'intérieur du corps en équilibre avec le pouls du monde.

Les causes humanitaires, les ressources de la planète les mobilisaient quelques heures, quelques jours, le temps d'une campagne internationale, alors ils notaient sur un morceau de papier le CCP d'une association nouvelle s'occupant d'une maladie incurable, puis, le lendemain, passaient une heure à rechercher l'endroit où ils avaient bien pu noter ce numéro, le retrouvaient enfin, mais avaient oublié à quelle action il pouvait bien correspondre...

Plusieurs fois Simon imagina Marianne capable, un soir, de lui annoncer qu'elle allait entrer dans un couvent, ou vivre dans un château avec une communauté qui aurait trouvé sa voie dans la prière, l'attouchement magnétique, le murmure matinal ou la vocifération nocturne.

16

Il pleut et ils marchent sous un grand parapluie noir.

Il y a la musique de la pluie, le ruissellement et les reflets sur le goudron et les voitures qui passent.

Ils aiment la pluie car elle semble décréter une urgence, quelques gestes qui ressemblent à ceux de la survie : se protéger, éviter le rhume, la bronchite... Alors, quand il pleut, ils se réjouissent et sortent le grand parapluie resté plié dans un réduit de l'entrée, et vont marcher sur les bords du canal, dans l'avenue Jean-Jaurès ou encore dans le parc des Buttes-Chaumont. Il y a toute une gamme de sons différents, lorsque la pluie frappe une carrosserie, un feuillage, l'écorce nue des arbres en hiver, le goudron des trottoirs ou l'eau du canal. Ils y prêtent attention et ne parlent pas d'autre chose. Ils écoutent.

Les jours de pluie, ils se sentent unis, comme si leur île, à ces instants, était assiégée de navires noirs et menaçants. Leur parapluie est alors une forteresse et Simon tient Marianne par les épaules pour n'être qu'une tresse d'homme et de femme qui se protège d'un danger bruissant.

17

Certains soirs, comme si d'avoir à vivre avec l'unique son de leur voix pouvait provoquer un vide sidéral dont ils ne se remettraient pas, ils éteignent le téléviseur à l'heure où ils n'en peuvent plus de sommeil.

Avant ce geste fatal, ils tergiversent, changent une dernière fois de chaîne et font même semblant (puisque c'est forcément l'autre qui impose cet ultime choix : ne pas être d'accord) d'invoquer l'abrutissement des accros de la télé. Finalement, cet instant du silence de la nuit survient et il y a alors une sorte de flottement, une gêne ou une hésitation qui les font regarder le plafond, filer aux toilettes ou aller chercher un verre d'eau.

Laissant au loin la rumeur des voitures, ils écoutent alors leur respiration, le bruissement des draps, les pages tournées d'un magazine et savent qu'ils sont pétris de ce silence, que les liens qui les rapprochent restent muets... Que ce sont ces gestes, ces regards qui renseignent l'autre sur un passé commun, ou le rassurent quant à un éventuel avenir, et qu'au moment où ils s'échangent, ils signifient que l'aventure de Simon et de Marianne est un fragment de monde qui ne s'est pas encore brisé.

Elle est là, présente.
Simon entend sa respiration. Il sent sa chaleur, sa jambe est le long de sa cuisse. Cette forme vague

étendue près de lui sous le drap est une femme qui dort. Rencontrée lors d'une fête anniversaire, ses premiers mots avaient claqué comme une déclaration d'humour : « Séparons-nous ! » Des mots, des frôlements, des confidences s'ensuivirent et là, sous le drap, il y a cette forme vague de femme enfermée dans le sommeil, réelle, présente, respirante. Marianne endormie.

C'est lorsqu'elle est muette, sans visage, indéterminée qu'il invente le mieux ce qu'elle renferme et les brisures qui traversent l'intérieur de son corps. Il sait que c'est ce mélange d'irréel et d'absolue présence qui rend les gens sinueux et vivants. Mais lorsque ce sont eux qui offrent leurs mots ou leurs corps, ils deviennent des personnages univoques, qu'un geste suffit pour oublier.

Comment couper cet excès de présence d'une personne à laquelle on tient, pour que l'histoire puisse continuer, afin de l'aimer encore, absente même, hors d'elle, sans la pesanteur d'un corps parfois encombrant ?

Un visage et une âme, deux attractions fatales, puisque lorsque l'un apparaît, l'autre s'évanouit.

18

Las, énervés, manque de sommeil, ils se disputent pour un retard, pour une facture oubliée comme si l'un devait être le secrétaire ou le pensum de l'autre. D'autres fois, détendus devant la langue de bois ou le mensonge manifeste d'un homme politique, ils rient en imaginant voir son nez s'allonger devant des millions de spectateurs, ébahis et enthousiasmés par cette dernière trouvaille de la télévision.

Ils parlent encore de l'éloignement, « que des lettres remplacent nos mains et nos bouches, qu'il y ait non pas une distance entre nous, mais un espace que nous appellerions la mer ou le désert, ou encore la forêt... »

Parfois, c'est de repli qu'ils rêvent, de silence, ne rien dire, éviter les autres, les rues, la ville et se morfondre dans un appartement à n'attendre rien... D'autres fois, ils éprouvent un besoin farouche de lumière et de bruit, de sentir la sueur des corps autour d'eux, de packs de bières renversés au milieu d'une foule et de sons fracassants qui sembleraient venir de l'enfer.

Multiples, ils marchent dans leur ville en détestant son arrogance, son vacarme, sa puanteur. A d'autres instants, ils entrent dans des magasins pour acheter des livres qui parlent d'elle, Lutèce, connaître les architectes qui l'ont façonnée immeuble par immeuble, rue par rue, pour en faire un visage unique de ville qui se nomme Paris.

Ils espèrent, ils détestent, des désarrois les étreignent et s'ils semblent se soutenir, la plupart du temps ils se fuient comme si l'autre était le danger à vaincre, la guerre à éviter pour que tout reste en l'état, paisible.

*

Comme si la vie ne pouvait être une suite de plaisirs ou de chagrins dont ils seraient les seuls témoins, ils auraient aimé, au retour d'une balade à travers Paris, rencontrer l'ange gardien de leurs solitudes qui les aurait félicités pour le choix de leurs vêtements et la manière amoureuse avec laquelle, aux yeux de tous, ils se seraient tenu la main ou enlacés. Ils auraient souhaité, la nuit, fourbus, ayant joui l'un de l'autre, que leur soit offert un ticket donnant droit le lendemain aux applaudissements des voyageurs du métro...

Ils espéraient un témoin de leur quotidien, qui enchâsserait les petits gestes remarquables de leur vie, capable de discerner les ratés des réussites d'une existence ordinaire, non pour qu'ils en tirent gloire ou célébrité, mais parce que vivre était difficile.

19

C'est le deuxième hiver qu'ils s'apprêtent à passer ensemble et des morceaux de glace se sont formés à la surface du canal, flottants. Ils attendent le moment où il se trouvera entièrement gelé pour pouvoir marcher d'une rive à l'autre sans avoir à emprunter les écluses.

Ils souhaitent, rêvent, attendent un rôle principal, comme s'ils s'estimaient les remplaçants d'un Simon et d'une Marianne absents, aux prises, eux, avec les vrais embruns de l'existence. Pourtant, depuis des mois qu'ils sont ensemble, ils ont assisté à quantité d'événements, de films, ont même été témoins d'une prise d'otage dans un bureau de poste de leur arrondissement, mais rien n'a semblé revêtir une figure inédite qui les aurait épatés.

Ils sentent bien qu'ils font du surplace, que ce qui avance c'est uniquement le temps et qu'ils vont un jour se mettre à vieillir sans s'en être rendu compte, un cheveu blanc, une ride d'expression tenace et qui se creuse sans le rire ou l'étonnement pour l'avoir provoquée.

Ils voudraient que tout s'accélère, non pour vivre déjà demain, mais pour qu'aujourd'hui se remplisse de rendez-vous, de fous rires avec une bande d'amis qui auraient les mêmes projets qu'eux et avec qui ils se retrouveraient l'été dans une bastide, avec une piscine à flanc de montagne d'où ils pourraient voir, en sortant la tête de l'eau, la mer, une baie au loin, bleutée, derrière une brume de chaleur. Remplir la vie, non pas d'objets, mais d'espace et de ciel, qu'elle parvienne à unir le temps des gestes du travail au temps des gestes tendres, que chaque partie du jour et de la nuit soit la continuité de ce qui aurait commencé dans un autre lieu, sans que des frontières invisibles coupent les corps en morceaux : certains destinés à jouir, d'autres à trimer, d'autres encore à rêver ou à se souvenir.

*

S'éloigner... S'éloigner ensemble ou l'un de l'autre...

Ils disent que c'est un espace qu'ils devraient inventer, un territoire qui s'étalerait entre elle et lui, autour d'eux, que chacun pourrait remplir d'étangs, d'arrêts de bus, d'insectes, d'architectures, de rosée, de panneaux urbains, de lune, d'attirance.

Plutôt que d'avoir à espérer un temps futur à vivre ensemble, ce serait un espace à imaginer aujourd'hui.

S'éloigner : remplacer le temps par un paysage. Dérouler en somme leur histoire dans l'actualité, sans avoir à se poser la question de sa durée, de sa fin, de son deuil.

*

— Tu ne dis rien...
— J'attends que tu parles...

— Ça peut durer longtemps...

— Je voudrais qu'on parte...

— Où ?

— N'importe... Ailleurs. Se débrancher d'ici...

— Et se rebrancher sur quoi ?

— Tout. La vie, le monde, les gens qui marchent, le vent, le ciel, le froid, la mer...

— Mais ici, il y a presque tout ça...

— Ici, ce sont des images. On regarde, on oublie. On regarde, on oublie...

— Je suis là.

— Il y a trop d'images autour de nous qui ne sont pas celles que l'on rencontrerait en parcourant le monde. Tout nous arrive à domicile, alors que ce qu'il faut, c'est partir à la rencontre des choses...

20

Peut-être, au Moyen Age, auraient-ils cru en Dieu et se seraient-ils rendus à l'intérieur des cathédrales pour crier en grégorien des prières à un être invisible qu'ils auraient su organisateur de tout, de leurs bonheurs comme de leurs défaites. Aujourd'hui, chaque massacre, commémoration, catastrophe leur parvenait illico alors qu'ils faisaient l'amour ou se reposaient d'une journée harassante.

Un monde les enveloppait et eux ne se sentaient à l'intérieur de rien.

Ils se demandèrent alors ce qu'étaient l'ardeur, la ferveur. Ils dirent *militer*, mais pensèrent aussitôt uniforme et casernes. Ils souhaitèrent qu'une chose, qui ne viendrait pas d'eux, les exalte au point qu'ils en oublieraient le canal, la Résidence de l'Espérance, tout ce qui leur semblait mesquin ou horriblement local, eux qui voulaient s'engouffrer dans les tourmentes, l'aridité, le silence des espaces.

Ils prononçaient ou faisaient des gestes d'amour, mais sentaient bien que parfois ils les volaient à des chapitres de romans ou à des séquences de films. Alors, ils se demandèrent si chacun chuchotait, comme eux, des mots d'emprunt.

Pourtant tout semblait à sa place. Les politiciens parlaient, les footballeurs couraient et le pape n'oubliait jamais d'embrasser le macadam des aéroports. Sur un mur de leur immeuble, quelqu'un avait bombé :

Quand on vous voit on vous aime.
Quand on vous aime où vous voit-on ?

Simon et Marianne pensèrent que le labyrinthe dans lequel ils erraient ressemblait à cet étrange graffiti, et furent tentés d'interpeller, de la même manière, une entité au visage imaginaire : leur existence...

« Quand on vit, on vous aime. Quand on vous aime, comment vit-on ? »

III

LE CHANT DU DÉPART

« Rien que des façades abîmées... »
Thomas Bernhard.

1

La mère de Simon était depuis quelque temps installée avec d'autres infirmières dans un orphelinat crasseux de la banlieue de Bucarest. Dans ses lettres, elle parlait de la vermine, de l'odeur d'urine qui revenait la nuit jusque dans les rêves. Des regards d'enfants morts... « Ils se balancent, s'arrêtent, lancent un cri, puis se balancent à nouveau et fixent le carrelage mouillé... » Ses lettres, expédiées autrefois de Poulo Bidong, de Managua et aujourd'hui de Roumanie, se terminaient toutes par *Ta maman qui t'aime...*

Marianne s'était moquée, avait chahuté Simon, puis un jour raconta que c'était justement une phrase comme celle-là qu'elle aurait aimé parfois lire, entendre, et s'en remplir le corps... A treize ans, j'ai cherché toute seule en cachette l'adresse de la DDASS de Montreuil, tu te rends compte ? J'ai cherché où se trouvait l'endroit que les mômes redoutent le plus, et moi c'est aux vociférations de mes parents que je voulais échapper. Un soir, j'ai sonné à cette adresse que je tenais sur un papier et j'ai dit à l'homme qui m'avait ouvert que je ne voulais plus habiter chez moi... "Ils crient, ils pleurent, ils cassent les vitres et déchirent les photos !"

Je suis restée là trois ans puis je suis partie rejoindre mon père, séparé de ma mère, à Nancy, il était peintre. Mes derniers souvenirs, lui et moi, place Stanislas, sous la neige, à manger des marrons et lui qui disait dans la nuit un poème de Lorca ou de Verlaine, je ne sais plus... Il était un peu soûl. J'ai dit alors que je voulais devenir journaliste et il a dit : « Apprends l'histoire de l'art... Ça raconte l'histoire des hommes dans le monde... Ce que tu y découvriras, c'est mieux que l'histoire, mieux que l'art lui-même, c'est comment chaque époque invente une manière de se situer dans l'univers. Longtemps, les œuvres étaient soumises à des règles universelles, cosmiques, pour ensuite appartenir au monde dont elles semblaient s'être détachées... Aujourd'hui on pourrait dire, en ce sens, qu'il n'y a plus d'art, mais des styles... Chacun produit son prolongement personnel, un sceau isolé qui ne relie son inventeur qu'à ses spectateurs, en court-circuitant le monde... Une sorte d'échange de lettres, en un peu plus sophistiqué... Tu vois ? Je ne sais pas si c'est mieux ou si c'est un mal, mais c'est de cette manière que nous vivons aujourd'hui : détachés du monde tout en tentant de trouver des points et des attaches chez les autres pour ne pas se sentir complètement seuls, étrangers à tout... Comme un artiste, chacun tente de se trouver un style... »

On avait encore déambulé dans les rues de la vieille ville, on chantait, on était heureux de s'être retrouvés, il me prenait dans ses bras et disait « ma petite fille, ma petite fille... » Mais je sentais, sous cette joie que je ne voulais pas briser, que j'accentuais même, la tristesse qui commençait à poindre... « J'ai vécu presque vingt ans avec une seule femme et pour moi il n'y avait qu'elle : *une* femme.

Aujourd'hui, j'en connais d'autres, différentes, inté-
ressantes, mais pas une seule avec qui rester longtemps, dans un même lieu... Et c'est de ce mal que
nous souffrons... Il y avait un monde, alors
qu'aujourd'hui il y a une multitude de mondes, et
c'est cette nostalgie d'unité qui nous fera souffrir
quelque temps encore avant de nous trouver guéris...
Guéris parce que nos corps et nos esprits auront
accepté cette nouvelle donne, et que cette multiplicité sera devenue si évidente que l'on se demandera comment on avait pu penser aussi longtemps
autrement... »

Marianne baisse la tête. Simon demande alors si
elle revoit sa mère... Jamais ! répondit-elle.

Elle rejeta ses cheveux en arrière et dit à Simon,
en le regardant... Ce soir-là, une fois arrivés dans
notre chambre, il m'a offert un livre, *Belle du Seigneur* d'Albert Cohen. Et il a voulu que je lui fasse la
lecture comme autrefois à la maison... Que je lui lise
à voix haute le premier chapitre où Solal souhaite
qu'Ariane tombe éperdument amoureuse, alors qu'il
s'est déguisé en vieillard et a collé du sparadrap noir
sur ses dents pour être plus laid et misérable
encore... C'est ça qu'il voulait entendre...

Marianne semble embarrassée, hésitant à pour-
suivre, pourtant, elle continue... J'avais remonté
deux oreillers sous mes reins, je m'étais allongée sur
le lit, les premières pages du livre entrouvertes... De
la salle de bains, j'entendais le bruit d'un robinet
ouvert ; mon père a demandé que je commence la
lecture, ce que je fis, lentement, en m'imbibant bien

de chaque mot, pour entrer dans l'histoire que je lisais, et la communiquer. Il est alors venu me rejoindre. Il m'a embrassée longuement — Ne t'interromps pas ! a-t-il murmuré —, et s'est étendu à côté de moi. Il était là, j'entendais sa respiration ; même, de temps à autre il semblait soupirer d'aise à certains mots, certaines tournures. J'imaginai alors qu'il était calme, entièrement à l'intérieur de ma lecture et... et il y eut un curieux silence dans la chambre... Et moi, j'ai continué de lire, j'ai lu jusqu'au bout le chapitre commencé, pour que ce silence étrange, pesant, n'existe pas...

Marianne s'était une fois encore arrêtée. Simon eut envie de poser un bras sur son épaule. Mais elle fit un geste pour annuler son intention. Comme si elle voulait rester seule, à l'intérieur du souvenir qu'elle avait du mal à raconter.

Elle reprit son souffle : Je t'ai toujours raconté que mon père était mort. Sans plus. Je peux te dire aujourd'hui qu'il s'est suicidé, à Nancy, à côté de moi, dans la chambre d'hôtel alors que j'étais en train de lui lire ce qu'il appelait : les plus beaux mots de la plus belle histoire.

*

Il y eut enquête et interrogatoire policier. Pensez ! Une jeune fille qui lit un roman à un suicidé dans une chambre d'hôtel... Le commissaire demanda à consulter le roman qui fut placé ensuite dans un sachet de plastique avec une étiquette : pièce à conviction.

Marianne dut attendre quelques jours.

Lorsque les résultats de l'autopsie furent connus, le livre à la couverture blanche et au liseré rouge et noir lui fut rendu et, du train de nuit qui la ramenait à Paris, elle le jeta, dans l'obscurité, dans le bruit et la vitesse pour qu'il y fût broyé, et tenter ainsi que sa mémoire ne s'encombre pas, en plus du chagrin, de l'unique témoin de son malheur.

Le reste du voyage, elle se demanda si les mots lus cette nuit-là resteraient dans sa vie, pour la blesser encore, ou ne serviraient plus jamais à rien, comme s'ils n'avaient fait que la traverser pour s'évanouir et se briser ensuite sur un ballast de chemin de fer, entre Nancy et Paris.

2

Elle attendait du magazine *Actualités* une réponse à sa demande d'un poste de documentaliste. Le temps passait, elle finit par ne plus y croire.

Comme elle ne supportait plus l'uniforme blanc à rayures rouges du fast-food, elle partit pour un magasin, toujours dans le quartier des Halles, où elle fut engagée comme vendeuse de cartes postales. Elle pouvait s'habiller comme elle l'entendait et elle trouva agréable de passer sa journée entre les portraits de James Dean, de Jacques Prévert et de Marilyn Monroe, plutôt qu'au milieu des cornets de frites et des gobelets en carton de café américain. Elle continua de retrouver Rosa au *Bar de l'Oubli*, quand elle le pouvait, entre midi et deux heures, le temps d'une omelette jambon, ou le soir, à la fermeture du magasin.

A la carterie se croisaient des touristes, des amoureux, des amateurs d'art, des flâneurs. Marianne pensa qu'elle était dans une sorte de supermarché de l'émotion et que les musées étaient les coffres-forts géants où se trouvaient la plupart des originaux que, elle, vendait à cinq francs (enveloppe comprise). Si l'esthétique changeait de registre, elle se trouvait compensée par la multitude des gens qui pouvaient remplir leur yeux de menus plaisirs, acheter les reproductions et les glisser dans les pages d'un livre, les poser sur une cheminée, les envoyer au bout du monde munies d'un message double : celui des mots

120

écrits et ce que représentait la carte postale. Il y avait une alchimie d'un recto et d'un verso que le destinataire déchiffrait à sa convenance, attentif au choix de l'image et à ce que signifiaient les mots, à travers elle. Deux faces, l'une remplie d'éphémère, l'autre chargée d'un autre temps et d'un espace différent.

Sur une simple carte, un chagrin ou une déclaration d'amour s'unissaient avec un tableau de la Renaissance, un visage de cinéma, ou une petite fille des Andes qui, le temps d'un millième de seconde, avait regardé l'objectif d'un photographe, ne pouvant imaginer que l'étrangeté de son regard viendrait s'ajouter à un message disant simplement à quelqu'un : *loin de vous, je pense à vous.*

3

Il fait nuit, Marianne ne dort pas.

Simon regarde la télé dans la pièce d'à côté. C'est à lui qu'elle pense lorsqu'elle ferme les yeux et elle songe à ce qui l'a attirée vers lui.

Il y avait du vent, une maison avec un parc, une fête anniversaire. Elle s'en souvient, et son désir n'était pas de rencontrer un homme avec qui rester. Elle ne souhaitait que plaire, jouer, vaincre un passant. A l'instant où il la croisa pour la première fois, elle dit déjà — pour des raisons différentes de celles d'aujourd'hui : « Séparons-nous ! »

Il sembla surpris et demanda aussitôt pour la provoquer à son tour : « Vous jouissez en criant, en râlant ou en silence ? » Elle lui dit : « Essayez ! Mais je ne veux pas pas voir votre visage, retournez-vous ! Maintenant. »

Il s'était retourné, mais son visage était déjà en elle. A cause du regard, farouche, méticuleux.

Plus tard, dans cette maison avec un parc où se fêtait un anniversaire, elle lui a ouvert la porte de sa chambre, dans le noir. « C'est vous ? » Il n'a pas répondu et lorsqu'il est entré, il s'est mis à pleurer... « Je croyais ne plus vous revoir... »

Ce soir-là, précisément, ils ne se sont pas séparés et il n'a pas su si elle râlait, criait ou gardait le silence. Rien de leur jeu ne se réalisa. Leurs corps restèrent seulement enlacés, avec du silence installé en eux. Pas entre eux.

Un silence de la nuit, invisible comme leurs visages.

Aujourd'hui, rien ne ressemble à ce mystère du premier jour, à cette violence tendre qui pousse à arracher au spectacle des êtres, une personne, une seule, et partir avec elle à l'assaut des rues et des étoiles, se jeter dans son rêve, arpenter sa peau et son histoire et croire que l'on devient invincible.

Bien avant sa rencontre avec Simon, Marianne avait vécu quelques mois avec un garçon qui voulait lui faire un enfant pour le Noël suivant.
Elle n'avait pas accepté et s'était enfuie le soir où devait revenir l'heure d'été.

123

4

Marianne :

Moi ? je suis une petite nana pas tout à fait belle et je ne sais rien de ce que je veux. Avec moi, avec ma vie, avec Simon. Je voudrais tout réussir et je sens que tout rate. Enfant ? pas enfant ? pour le moment je m'en fous, j'ai le temps. Chien, chat, pas chien, pas chat, bof... La musique, oui, quelques poèmes, oui. Mais bon dieu, le ciel, la mer, l'espace, tout ça, à qui ça appartient ? Comment briser barrières, petites pensées hasardeuses et mesquines. Je respire l'air du XIXe arrondissement et je ne connais ni Nevers, ni Saint-Brieuc. Le Japon n'existe pas, l'Amérique non plus. C'est quoi le monde sans moi ?

Ma mère s'est tirée avec un pilote de course à Caracas (Venezuela), mon père s'est tiré de ma vie à Nancy (France).

J'ai terminé une licence d'histoire de l'art, j'ai été serveuse dans un fast-food et en ce moment, je vends des cartes postales. J'attends un job de documentaliste dans un mensuel, c'est-à-dire : trouver des photographies d'événements qui viennent de marquer l'actualité... Visage bovin de Boris Eltsine, dernier baiser d'Honecker collé à la bouche de Gorbatchev, visage d'écrivain, au hasard, Kundera Milan né à Brno en 1929, cadavres dans les rues de Managua, hélicoptères américains au Panama... Il ne m'arrive rien d'extravagant. Je passe mes nuits avec un type qui passe ses nuits avec moi. On passe : nos nuits et nos jours... On s'engueule pour un film, pour un lit défait, un retard. Et puis, il faudrait aussi parler de Rosa... Je pense souvent à cette journée passée dans un commissariat à imaginer le corps de mon père en train d'être autopsié, pendant que ma mère arrosait ses hibiscus à Caracas. C'est ça ma vie : un père suicidé, un amant méticuleux et des milliers de cartes postales qui me passent par les mains sans que je connaisse personnellement aucun des visages que j'effleure.

Mon rêve ? Comment dire... Comment savoir... Mon rêve vous dites ?

5

Simon était resté un an avec une fille.

Cette fois, c'est elle qui avait voulu l'enfant qu'il remettait, lui, sans cesse à plus tard. Elle fut enceinte, il fut heureux. Puis aussitôt, il prit peur. Il imagina un autre enfant que celui auquel pensait la femme qu'il aimait. Elle essaya de deviner ce qui pouvait bien se passer dans la tête d'un homme lorsqu'un enfant se fabrique dans l'ombre d'un corps de femme, et comme elle ne parvenait pas à comprendre, elle alla plusieurs fois rôder autour d'une clinique. Jamais elle ne put se résoudre à y entrer.

Alice, c'était son nom, pleura souvent au cours de ces nuits-là. Pourtant, pour elle, tout était clair : cet enfant, elle voulait le garder, en être la mère et que Simon en soit le père. Arriva le jour où il ne fut plus possible que l'enfant commencé disparaisse. Alice retrouva alors son sourire et c'est cela qui exaspéra Simon. Pour la punir et qu'elle sache son désarroi, il devint silencieux. Un silence de mort, comme si le virus du silence pouvait anéantir celui qui ne savait pas encore crier. Alice voulait continuer de sourire, être heureuse et que l'enfant qu'elle portait sache cela, qu'à aucun moment il ne puisse soupçonner, là où il se trouvait, que l'amour déjà lui manquait. Alors, elle rangea ses affaires dans une valise et des sacs de plastique et prit le train.

Simon écrivit en poste restante, téléphona aux amis

et amies d'Alice, prit le train à son tour, mais elle avait disparu.

Il rentra à Paris, orphelin d'un enfant qui porterait son visage et qu'il ne connaîtrait pas. Quelques mois plus tard, il reçut un télégramme posté d'Ile-de-France, qui lui apprenait qu'un garçon était né et se prénommait Lucien.

Dans un lieu qu'il ignorait, un enfant s'était mis à crier. Bientôt il marcherait, prononcerait ses premiers mots, sans jamais savoir qu'un homme, qui grandissait encore, penserait souvent à lui.

6

Quelques années plus tard, Simon avait rencontré Marianne.

Elle sut.

Il raconta Alice et Lucien, une histoire de ses vingt ans...

Souvent, elle le voyait penser à l'autre femme, à l'enfant, et se taisait.

Elle songea que la vie, ça devait, après le long apprentissage des paroles, savoir aussi n'en prononcer aucune.

7

Simon :

J'ai eu vingt-cinq ans cette année et je n'ai rien fait, pour le moment, de ce que je rêvais de faire. J'ai tergiversé, attendu, j'ai dit demain... Demain je commencerai... Je suis finalement un professionnel des débuts. J'ai écrit des premiers chapitres de romans, des morceaux de poèmes, j'ai commencé la photographie, suis monté dans un train pour Belgrade et me suis arrêté à la frontière suisse. Par hasard je suis devenu un chasseur de sons. Je me promène dans des marécages, sur des étapes de migrations et, mon magnétophone digital à l'épaule, j'enregistre des ambiances de forêt au petit matin, des bruits de mer, l'océan sur les rochers, des chants d'alouettes, de sirlis du désert, de rouges-gorges, de grives musiciennes et des fauvettes orphées, mes préférées.

Dans une maison du monde, il y a Lucien, un petit garçon qui a sûrement les cheveux aussi fins que les miens, qui grandit sans moi et que je ne connais pas.

Je nage à la piscine de la Porte de Pantin pour oublier que je me traîne, que je suis lourd, que j'ai peur de moi plus tard, que j'ai peur de moi aujourd'hui, peur de ne ressembler à rien qui vaille, d'être un homme transparent, un parmi... Alors je nage, je plonge, je nage, je plonge, j'ai le sentiment que là au moins, je parviens à maîtriser quelque chose. L'eau me faisait horriblement peur, à présent elle me prend, me soulève et m'accueille.

Je voudrais finir au milieu du monde de la mer, largué par un oiseau migrateur qui m'aurait déposé là, délicatement sur la crête d'une vague, et je le regarderais s'éloigner pour toujours, me disant que je suis redevenu seul, sans avoir à parcourir le temps entier de ma vie.

8

En entrant au *Bar de l'Oubli*, Rosa se dirigea aussitôt vers le type le plus mal rasé de la salle et qui tirait des bouffées d'un petit havane.

Ils s'embrassèrent. Mais ce n'était pas un baiser. Il avait regardé de côté, ailleurs, pas Rosa.

Là, il buvait de la bière. Elle avait toujours détesté qu'il boive de la bière, parce que ça change l'haleine et en plus, elle trouvait ça vulgaire, de boire de la bière.

Rosa n'était pas à l'aise, cela se voyait. Même les gens qui ne l'avaient jamais remarquée pouvaient penser comme ça. On sent bien que l'homme au havane ne va pas être tendre. Il demande si le casting qu'elle a fait ce matin a donné quelque chose et elle fait non de la tête. Il annonce alors qu'il part pour six mois, un travail à Londres. Il est dans la mode, les vêtements. Pourquoi Londres, demande Rosa. C'est là-bas que ça se passe pour moi, alors je quitte l'appartement et toi aussi il te faut le quitter.

Rosa regarde autour d'elle parce que le coup qu'elle vient de recevoir va la faire pleurer, et elle n'aime pas ça, pleurer devant ce type et devant des gens qu'elle ne connaît pas.

Tout ça veut dire, ce qu'elle vient d'entendre, que cet homme qu'elle aime quitte tout. Elle, Paris. Elle dit, je vais faire comment ? Comme tout le monde, il répond, tout le monde se débrouille. Tout le monde vit, cherche, trouve et s'installe, même dans le provisoire.

131

Alors, elle se lève, sort du *Bar de l'Oubli* et va courir sur le parvis des Halles. Des hommes regardent cette jolie fille, noire, désespérée. Eux, croient qu'elle court à un rendez-vous, qu'elle est en retard. Pourtant, tout vient de se briser à cette étape de sa vie. Elle sait qu'il faudra attendre que les choses se défassent, puis s'enlacent à nouveau autour d'elle et recommencent à donner du désir. Aller dormir maintenant. Mais non. Elle court encore, elle marche, reprend son souffle, elle marche et se rend compte qu'elle va vers République. Elle a pensé à Marianne. Mais elle ne veut pas du métro, elle préfère marcher dans Paris, il est presque minuit. Des hommes l'interpellent et ce soir, ça la dégoûte l'impolitesse. Ce soir, le rêve des hommes la dégoûte.

Elle passe devant l'Hôtel du Nord, longe le canal Saint-Martin, elle sait que Marianne est là-bas, en bordure de cette surface sombre qui, à cet instant, l'effraie. A Jaurès, elle passe sous le métro aérien et retrouve le canal un peu plus loin, à côté d'une écluse.

Elle sait qu'elle est presque arrivée. « Mon négrillon, disait sa mère — parce qu'elle aimait l'appeler comme ça et ça voulait dire, ma petite beauté, ma fille adorée —, mon négrillon, il ne faut jamais que tu meures avant moi, jure, jure-le... »

La mère avait peur de la violence des hommes, de la drogue, de la délinquance. Mais sa mère était si loin, dans une île de l'Atlantique, loin des banlieues, loin des néons de Paris et du luxe qui sait s'entortiller autour de la misère ! Rosa n'osa pas entrer dans le dernier café ouvert pour téléphoner. Il était trop tôt dans la nuit et trop d'hommes voudraient encore lui parler. Mais comment retrouver l'appartement de Marianne et de Simon ?

Elle a marché tout près du canal pour regarder, avec du recul, les lumières et les silhouettes aux fenêtres des maisons. Peut-être verrait-elle leurs ombres s'approcher d'une vitre et qu'elle les reconnaîtrait.

Elle pensa : et si le négrillon glissait dans l'eau, personne n'en saurait rien, je ne suis personne, seulement une fille qui aimait que les hommes rêvent...

Alors elle glissa.

Le lendemain matin, un car de police, les pompiers. Ce n'était pas le bruit habituel des abords du canal. Quand Marianne sort de la Résidence, elle a relevé son col. Des hommes en uniforme s'agitent autour des voitures aux gyrophares. La concierge dit que quelqu'un s'est noyé... C'est pour ça tout le ramdam ! Pourtant ça n'a pas fait de bruit dans la nuit, personne n'a crié. Il y a des gens qui se suicident au gaz et ça fait péter les immeubles avec les innocents bien sûr... Mais elle devait être correcte cette petite... C'est une fille ? demande Marianne. Je crois bien, dit la femme, mais avec les cheveux on ne sait pas, c'est frisé et ça porte un pantalon...

Marianne s'est approchée et a reconnu la veste à

franges de son amie. Ça n'aurait servi à rien d'aller dire qu'elle la connaissait. Alors elle est remontée chez elle et elle a pleuré. Par la fenêtre, elle a regardé la civière où reposait Rosa. Puis le car de Police-Secours l'a emmenée.

9

Alors, pour la première fois, ils décidèrent.

Quitter le XIXe arrondissement et, plutôt que de mettre un espace entre eux, ils s'éloigneraient ensemble d'un lieu où ils avaient le sentiment que leur vie avait dérivé, s'était empêtrée, que l'effroi les avait laissés sur place, K.O. de tout. Il fallait abandonner ce lieu des ratages, là où les jeunes métisses se noient, là où ils avaient marché sans but vers le néon bleu du café *Cargo*, fatigués de ne rien comprendre à ce qui se passait autour d'eux et en eux. Rosa que Marianne voyait presque chaque jour était venue s'échouer, à leurs pieds, sur les rives de cette île où l'on ne comprenait rien à rien et où ils n'avaient pas vu ce qui se passait sous leurs yeux tant ils étaient éblouis et fatigués par les scintillements venus d'ailleurs.

Ils emménagèrent dans un appartement plus petit du IXe arrondissement, qui donnait sur une petite place avec fontaine, derrière les Folies-Bergère.

Marianne avait enfin obtenu ce qu'elle attendait : le magazine *Actualités* l'engageait pour trois mois au service documentation. Dans le même temps, Simon, en plus de ses enregistrements des sons du monde, trouva un job d'assistant à l'Orchestre national philharmonique de la radio. Deux concerts à enregistrer chaque semaine.

Debussy et Ravel pour compléter le chant des oiseaux migrateurs.

135

Avant de quitter l'appartement, il avait demandé à Marianne de lui donner quelque chose d'elle à garder sur lui. Elle hésita, chercha un objet, un morceau de papier, écrivit pendant un long moment, puis versa quelques gouttes de son parfum avant de cacheter l'enveloppe. « A n'ouvrir qu'à l'entrée du paradis... Et toi qu'est-ce que tu donnes ? »

Il fouilla dans son sac de sport encore plein de cassettes enregistrées la semaine précédente au lac de Der, près de Saint-Dizier. Un groupe de cygnes sauvages s'était mis à virevolter autour de lui. L'un d'eux s'était approché et Simon avait eu peur à cause du bruit d'ailes, des larges pattes sombres et des becs jaunes cernés de noir. Tournier (son initiateur en cris et vols d'oiseaux) lui avait dit de ne pas bouger. Alors, un des cygnes arrivés de Norvège déploya ses ailes et vint se placer devant lui. « Il t'invite à partir avec lui ! » avait dit le vieux. Pour se moquer. Simon ne riait pas, et comme s'il s'était retrouvé enfant à croire à l'impossible et aux aventures de Nils Holgersson, il fut persuadé que c'était vrai, que l'animal l'invitait. A partir. Puis, il y eut un cri, un chant rauque, et l'oiseau qui s'était approché de lui déploya les ailes les plus longues, blanches, immaculées, et s'envola haut dans le ciel, pour devenir le premier du groupe des cygnes qui, peu à peu, disparurent.

« Des bruit d'ailes, tu te souviendras, dit Simon à Marianne en lui donnant la cassette, les ailes des cygnes sauvages... »

136

*

Lorsque la camionnette qu'ils avaient louée effectua son dernier voyage entre le XIXe et le IXe arrondissement, ils pensèrent que cette fois, c'est vraiment leur adolescence qui prenait fin. Comme si les deux années qu'ils venaient de passer étaient des années brouillon, des jours et des semaines de tâtonnements, à ne pas savoir, à attendre tout d'ailleurs...

La Résidence de l'Espérance portait bien son nom. Ils y avaient espéré, seulement espéré, comme s'il suffisait de cela pour que quoi que ce soit prenne une forme inédite et se conforme à un désir. Ils y avaient espéré un monde dans lequel entrer, tout en continuant de passer des heures à seulement en regarder des représentations, à en vivre des malheurs lointains sans jamais parvenir à être écorchés par eux.

IV

LES MOTS DES MORTS

« *Notre héritage n'est précédé d'aucun testament.* »

René Char.

1

Enfin, ils gagnent de l'argent... Pas de quoi
s'offrir des palaces, mais survivre à l'occidentale,
c'est-à-dire mieux qu'ailleurs.

Vivre, c'était quoi ? Se nourrir, imaginer, aimer,
concevoir, entreprendre un projet, agir et se voir agir,
être lié par la verticale à l'histoire de ceux qui nous
ont précédés, et par l'horizontale à ceux qui vivent
dans un temps identique, dans le même flux de mots,
d'idées et de phantasmes.

Or, ils ne savaient rien de cela et, à cette intersection de leur temps et de leur espace, ils
n'occupaient que des places vacantes, floues et
variables... Ils étaient des sujets aléatoires, à la
position indéterminée — non par stratégie, frénésie
ou déplacement initiatique mais par hasard, immatu-
rité, non-préparation.

Ancrage : attachement à un port. Eux n'étaient
ancrés ni provisoirement, ni définitivement.
Puisqu'ils n'avaient jamais su où ils s'étaient embar-
qués et ne savaient rien des rivages où ils pourraient
bien se rendre, pareils à des morceaux de continents,
ils voguaient, soumis au gré du vent et des courants,
leurs sentiments à la dérive.

Seule leur imagination de carte postale leur avait
envoyé des paysages exotiques, des villes, des lieux
magiques où ils avaient eu l'innocence de croire
qu'une fois en ces lieux, *ils sauraient.*

D'ailleurs, c'est dans cet esprit de croyance magique qu'ils avaient déménagé. Persuadés que le canal, la Résidence et le XIXe arrondissement leur avaient été néfastes, ils crurent qu'un nouveau lieu allait, par enchantement, tout changer. Et comme cette année-là de nombreuses raisons de s'enthousiasmer confortèrent leur certitude que tout enfin basculait autour d'eux, ils se sentirent remplis de force et d'élans en se disant qu'un monde, leur monde, changeait sous leurs yeux, à la vitesse d'une superproduction.

Pour la première fois, l'Histoire, qu'ils regardaient jusqu'alors distraitement se dérouler, était à leur porte et parvenait enfin à les effleurer : l'autre moitié de leur continent choisissait de leur ressembler, à eux qui justement se débrouillaient si mal.

Et ils se plurent à imaginer que des Virgiliu de Bucarest, des Milena de Prague, des Gerhard de Leipzig, des Stanislas de Gdansk les enviaient, eux, Simon et Marianne, et souhaitaient mener la même existence, ou du moins, son apparence.

Alors, pour ne pas avoir à se sentir coupables d'oubli, ils déployèrent une frénésie nouvelle pour classer et ranger tout ce qui leur parvenait et afin que cette fois rien ne leur échappât, ils se mirent à découper articles, documents, photographies, puis à inscrire au marqueur sur des chemises de bristol : racisme, pollution, Europe centrale, apartheid, réunification allemande, immigration, Palestine, banlieues... Car comment s'organiser autrement, sinon avec cette méticulosité, pour parler plus tard de cette époque qu'ils étaient en train de vivre, pour la retenir, ne rien omettre de ce qui le temps d'une journée, d'une semaine, leur donnait curiosité, pleurs et émotion, l'horreur d'un jour ou les langueurs d'une petite prostituée de Naples, quand tout frémissait devant eux comme si l'histoire assoupie, que l'on disait terminée, s'était mise à caracoler, à vomir de l'action et des déchirements ?

Des noms, des sites, connus depuis longtemps ressurgissaient de leur glaciation, pour les yeux et en images, Porte de Brandebourg, Unter den Linden, Dubcek, Dalaï-Lama, Prague, Nelson Mandela... D'autres apparaissaient chargés, malgré leur nouveauté, de troubles symboles, Trabant, Medellin, Patriot, Stasi...

Comment se souvenir de sa vie si on n'en classe pas le désordre ? Ils eurent l'impression d'être face à une devanture ambulante où ils pouvaient choisir, prendre, assouvir désir et curiosité, puis, une fois la devanture dépassée, d'avoir à se demander, qui ? qui donc hier m'a tant bouleversé ?

Ils en étaient là, frénétiques de curiosité pour le temps qui passait et celui qu'il leur fallait pour tenter d'ordonner leurs futurs souvenirs.

Epuisés d'actualité, ils ne parlaient plus d'eux, en tout cas, n'y songeaient plus. Puisqu'ils ne se distinguaient en rien, mêlés à la mêlée, consommateurs d'événements que cette fois ils avaient

l'impression de ne pas subir, ils eurent le sentiment qu'ils devenaient spécialistes de ce qu'il ne
leur arrivait pas, et simples amateurs de leur
propre vie.

2

Peut-être se sentaient-ils plus partenaires qu'amoureux et acceptaient-ils leurs différences parce qu'elle et lui savaient qu'aucun des deux n'était venu rendre l'autre fou. « Pourtant l'amour ça doit être une arrogance, un empiétement, une force sacrée avec laquelle se créent des mondes en en brisant d'autres... », dit Marianne.

Pour ne pas paraître anachroniques ils avaient le sentiment d'avoir à dissimuler les rares passions dont ils se sentaient coupables puisque autour d'eux tout se négociait et se réglait avec deux sourires et une tape sur l'épaule.

Alors qu'auraient dû surgir les couteaux pour couvrir l'autre de blessures, le marquer du sceau d'un amour intransigeant, d'une violence secrète, religieuse, ils se sentaient deux églises réconciliées qui ne se combattent plus, coexistent, ayant accepté par raison les irrationalités de l'autre.

« Je ne sens pas de menace qui pourrait venir de toi, dit Simon, et tu me *tolères* parce que tu sais que je ne suis pas venu prendre ton âme, seulement ta présence. »

« En fait, nous sommes des amoureux civilisés », dit Marianne.

*

C'est lors d'une soirée passée chez un des rédacteurs du magazine où travaillait Marianne qu'ils se sentirent le plus décalés. De tout. Du lieu, des gens, des conversations. Un appartement du VIᵉ arrondissement, élégant, spacieux où des bibliothèques et des vitrines couraient sur les murs recouverts d'un tissu clair... La plupart des invités étaient plus âgés qu'eux et ils eurent l'impression d'avoir oublié un passeport ou un interprète tant ce qui fut dit là leur était étranger.

La conversation porta sur la France du siècle finissant et les divers mouvements, soubresauts et horreurs qui l'avaient traversée. On commença par l'affaire Dreyfus, des noms émaillèrent les échanges, Zola, Jaurès, Clemenceau, Barrès, des noms que Simon et Marianne avaient bien sûr entendus ou lus, mais pas à cette occasion, ni reliés à cette affaire proprement dite, dont ils ne connaissaient en fait, que le nom et un vague scénario.

Au sujet de Barrès, un homme d'une trentaine d'années, le cheveu noir et la mèche rebelle, lança... « Cet aventurier devenu notable et fasciste qui, malgré son fascisme, continue de bénéficier de postérités flatteuses — je pense à Malraux —, paradoxales et contradictoires. N'est-ce pas étrange ? »

Une fois le sujet Dreyfus épuisé, on passa au surréalisme, puis au stalinisme, à l'holocauste, à l'attitude des écrivains pendant la guerre, Gide, Camus, Sartre... On cita Cocteau qui, leur faisant référence, dit un jour, amer : « Eux on les envisage, moi, on me dévisage ! »

Simon et Marianne se taisaient, écoutaient, anéantis par leur ignorance.

Et des phrases, des affirmations pleuvaient, sur lesquelles ils n'avaient aucune opinion à émettre... Révolution, religion... « Nous sortons d'un âge qui fut l'un des plus religieux qui soient. Des religions païennes, laïques, mais des religions... »

Des courants d'idées, un bouillonnement, la folie meurtrière, tout se bouscule dans les têtes de Simon et Marianne. Ils écoutent, mais là encore c'est un monde qu'ils ignorent, que ces gens autour d'eux commentent, jugent et sur lequel on ne cesse d'apporter un point de vue, un nom nouveau, une idée. Eux, se taisent. Qu'auraient-ils à dire? Ils tentent de retenir des bribes de cet écheveau, mais comment retrouver l'histoire d'une histoire lorsque l'on n'en connaît que quelques dates, quelques repères, sans qu'un sens les relie entre eux?

Une jeune femme que Marianne connaissait puisqu'elle travaillait, comme elle, à la documentation, dévia les conversations vers le renouveau du cinéma. On cita des noms de jeunes réalisateurs et l'accord fut à peu près unanime. Alors que Simon et Marianne étaient prêts à montrer qu'au moins le cinéma ne les laissait pas indifférents, on en revint vite aux intellectuels et écrivains du siècle et ils n'osèrent pas demander qui était ce Gide (dont ils avaient pourtant lu des extraits des *Nourritures ter-restres* dans leur Lagarde et Michard) lorsque l'on affirma qu'il fut fasciné par l'homme nouveau que préparait l'Union soviétique. Et François Mauriac, dont ils avaient vu *Thérèse Desqueyroux* à la télévision, qui était-il? On rappela un de ses articles pendant la guerre d'Algérie... « Après dix-neuf siècles de christianisme, le Christ n'apparaît jamais, dans le supplice, aux yeux des bourreaux d'aujourd'hui. La Sainte Face ne se révèle jamais dans la figure de cet Arabe sur laquelle un commissaire français abat le poing... »

Ils sortirent de cette soirée, laminés. De quoi étaient-ils faits, quelle était l'histoire qui avait permis qu'ils soient là, à ne rien demander d'elle, à ne se préoccuper que d'immédiateté et de leur mal-vivre ?

Ils entrèrent dans un café près de l'Odéon, commandèrent deux grogs brûlants et, prostrés, n'osant se regarder, honteux d'avoir existé si longtemps avec aussi peu d'exigence et d'interrogations sur les hommes et les femmes qui les avaient précédés dans ce monde, ils se sentirent misérables.

3

Comme s'ils s'étaient retrouvés avec, dans les mains, la première pierre d'une cathédrale à construire, ils se crurent vaincus et ils pensèrent en rester là, plus démunis que jamais, perdus sur cette île où leurs vies s'étaient mêlées, où ils s'étaient par hasard rencontrés, plus mystérieuse encore que lorsqu'ils y étaient arrivés, puisqu'ils y avaient appris entre-temps à combien d'années-lumière elle se situait de tout.

Simon, le premier, ressentit le besoin de fuir tout cela pour entrer à l'intérieur de lui, patiemment, et connaître ce centre abandonné, là où commençaient ses rêves.

« Je me sens inachevée, dit Marianne. Incomplète, amputée de désirs, de parfums, de volonté. Vouloir, c'est mettre un nom sur autre chose qui n'est pas soi, c'est désigner une terre inconnue afin de se l'approprier. La volonté est la faculté de nommer ce qui ne l'est pas, de façonner avec des ombres un visage, de parfumer l'inodore. Toi, tu dis que l'on est envahis, moi je dis que l'on est dépourvus. Trop d'écrans lisses et pas de crasse.

Quel est-il, où est-il ce Dieu de la rue, marcheur de la nuit qui se faufile dans les recoins en attendant que viennent à lui les hommes inachevés, meurtris, transis, la bouche tordue, la peau blafarde. Dira-t-il qu'il faut se perdre dans les dédales des villes, s'y cacher, marcher, descendre dans un hôtel misérable, avec seulement les murs sales d'une prison, afin de connaître la vraie solitude, celle qui est décidée, la solitude sans voix, sans paroles, sans regard ? Des murs... Dira-t-il que c'est un passage difficile, l'interstice d'une histoire dans lequel tout sombre, ou ordonnera-t-il de nous enfuir chacun à l'entrée d'un désert pour nous mettre à marcher l'un vers l'autre, avec en tête l'idée de part et d'autre de venir rencontrer une personne, une seule, dont l'espace à parcourir pour en voir le visage serait déjà ce visage ? Emplir le désert d'un rêve. D'un seul rêve. »

4

Il pleut depuis le matin. Il est presque minuit et Marianne revient épuisée. Elle trouve Simon dehors, en T-shirt sous la pluie glacée. Elle pense, il est fou, il va mourir.

L'eau dégouline sur sa peau, le tissu colle à sa poitrine, ses cheveux pendent sur les tempes et le front. Il dit qu'il a voulu sentir la pluie du ciel, évaporée des océans, voyageuse et que c'était la seule manière ce soir de se laisser envelopper d'espace. Elle le convainc de rentrer. Ils montent les étages, il s'appuie sur elle, puis une fois étendu, il se laisse caresser par un sèche-cheveux ronronnant que Marianne lui promène sur tout le corps.

Il tousse. Marianne pense à un oiseau d'une plage souillée, les plumes poisseuses de pétrole, incapable de s'échapper. Simon est affalé sur le dessus-de-lit blanc, nu. Elle regarde ses muscles, la peau blanche, malade, et veut le serrer dans ses bras, lui dire qu'elle est là et va tenter de le porter encore comme un enfant. Essayer. Mais non, elle ne dit rien, elle rêve, c'est une pensée idiote. Les hommes ne veulent pas être portés. Emportés, seulement. Par le vent et les tempêtes. Ils veulent aller au bout du givre et des glaces, s'arrêter de respirer, sans mourir, s'arrêter au pied du froid.

« J'ai su, la première fois que je t'ai vu, dit Marianne, qu'il n'y aurait plus jamais cette vision d'un homme dont ma vie dépendrait et, qu'à mes prochaines rencontres, cet enjeu premier irait en diminuant. Je m'aperçois que vieillir, c'est savoir discerner la part d'absence, absente de chaque nouveauté. »

5

Simon ne sortit pas de la journée, à cause du froid. Il décida d'écrire une première lettre. Sans avoir recherché un effet de style, bizarrement il employa le *vous* comme s'il s'agissait d'une étrangère qu'il aurait rencontrée et qui aurait marqué sa vie à jamais...

« Ce jour d'hiver, je vous écris et je songe à l'ombre et au gel. On dit que la terre se réchauffe mais je puis vous l'affirmer, le froid me dévore. C'est curieux d'écrire à une femme que l'on retrouve chaque soir. Mais, est-ce que je vous vois chaque soir ? N'est-ce pas une parcelle de vous que les ampoules électriques me donnent à voir. Nous disions l'autre jour "chaque homme meurt inconnu". J'ai envie de vous dire : chaque homme *vit* inconnu. Les forêts sont immenses et c'est là qu'il me faudrait vous perdre pour me lancer à votre recherche.

Que faisons-nous ? Nous respirons ensemble quelques atomes sortis des gorges de Rimbaud ou des gardes-chiourmes des camps nazis. Nous ne pouvons rien à cela, à cette rencontre avec des lambeaux d'atmosphère qui enveloppaient des hommes que nous aimons et d'autres que nous haïssons.

Ce qui est impossible entre nous, c'est que l'intérieur de votre visage entre à l'intérieur de mon corps. Votre face, sa lumière, vos ombres et vos reliefs, je les aime, ils m'émeuvent et c'est votre visage que je regarde lorsque je jouis en vous. Rien d'autre que lui ne peut m'émouvoir. Vos cuisses et l'érotisme que porte votre corps ne peuvent me faire jouir plus que votre visage. Est-ce cela qui s'appelle amour ? Je dis que vous êtes un paysage du monde et qu'il faudrait fermer les yeux à l'instant où l'on vous voit.

Mais vous. Vous, hors de votre visage, qui êtes-vous ? Il y a bien votre voix, les mots sortis de votre bouche et quelques regards... Avec cela, je devrais vous connaître et vous savez que c'est impossible... Même pour moi, vous mourrez inconnue...

Vous savez bien que l'espoir ne s'attend pas, qu'il est en nous, à inventer : il est un travail et une faille.

Le ciel s'assombrit. Je ne vous parle jamais d'amour, pourtant je ne pense qu'à ce mot et il me fait peur tant je le sens vide de tout.

Qui êtes-vous ? Un prénom, un corps, Marianne, une fille que j'étreins et dont l'histoire échappe à la mienne. Je vous appelle la nuit, en rêve, le saviez-vous ? Je dis Marianne de l'océan, Marianne du ciel, Marianne du désert parce que vous êtes immense et insondable comme eux, pleine d'effroi et de ténèbres. Je m'aventure en vous pour échapper aux solitudes. Trouver un salut ? Pourtant je n'ai rien à sauver. Le mal nous engloutira, vous, moi, car nul ne peut prétendre avoir fait gagner *le bien* à l'intérieur d'une seule de nos vies.

Où se trouve l'immensité que vous recelez et que je pourrais contempler en dehors de vous ? Dites-moi, est-ce la mer du Japon, une constellation, et le télescope Hubble me donnera-t-il enfin l'image de votre vrai tourment ?

Comment oser cela, avouer que l'on ne sait pas aimer ? J'ignore ce qu'est souffrir devant un téléphone muet. Je ne vous attends pas. Pourtant c'est votre visage que j'aperçois dans les miroirs lorsque je me regarde à chaque fois que je veux mourir.

Mon amour pour vous n'est pas un amour. C'est une guerre perdue. »

Simon, le soir même, fit son sac de voyage.

Il tentait l'histoire de l'éloignement pour que les mots entre Marianne et lui se remplissent de l'histoire des gens qui les prononçaient et des choses qu'ils désignaient.

V

LES PASSEURS DE PASSIONS

« *A la fin on doit commencer à aimer
pour ne pas tomber malade.* »

Sigmund Freud.

1

C'est quoi ce bruit ?

Un morceau de glace. Un glaçon qui flotte dans un verre de cristal.

Des chants et des cris d'oiseaux envahissent l'espace — des fauvettes orphées, dirait un ornithologue qui reconnaîtrait leur titutitutitu —, un gazouillis répété qui vous entraîne dans le maquis ou pourrait vous faire croire à une oliveraie. Pourtant ce n'est pas la campagne : une pièce spacieuse, ornée de tapis de Kirman à points noués, qui domine la ville, gigantesque... Paris.

On voit bien que ça ressemble à un cerveau, une ville.

Les visages des façades sont comme des souvenirs que les fumées et les crasses auraient vieillis. Défigurés. Des bâtiments neufs, autres visages, sont lisses et le ciel s'y reflète, construits en verre fumé, en acier poli et en marbre. Sous les trottoirs des grandes artères et des parcs, des escaliers écorchés par le salpêtre et la moisissure descendent vers des champignonnières pour aborder de sombres contrées. Terrifiantes. Quelques loqueteux se terrent là, d'autres au faciès haineux, tordus par le mal, errent, déboussolés, des badges épinglés sur leurs uniformes élimés de la Schutzpolizei. Les souterrains et méandres de la ville sont encombrés de fantômes que chacun croit disparus.

L'homme qui habite cet appartement est écrivain.

Vieux. Un visage ravagé, gris comme une peau de rhinocéros. Un jour, une femme est venue à sa rencontre pour lui dire qu'elle le croyait mort depuis longtemps. Elle l'a regardé encore et elle a pensé à la guerre.

Près de lui, une écritoire sur un meuble ancien. Il vient de reposer le verre glacé qui contient une vodka, pâteuse comme un sirop d'orgeat. L'homme est habillé à la manière des héros de films noirs. Costume sombre, pochette, gilet, montre de gousset. D'un geste rapide, il pose sur le revers de sa main une traînée de cocaïne noire qu'il renifle aussitôt. Il sourit. Il sait bien que ça surprend, un homme qui prise du tabac. Et surprendre ne lui déplaît pas. Son corps est mince, sa peau striée mais aucune trace de cette matière molle des méduses à l'emplacement du menton. Pourtant, il vient de traverser le siècle.

La femme qui descend d'un étage supérieur passe devant une horloge ancienne, un chapeau noir à la main. Elle le lui tend.

« C'est celui-ci que vous vouliez, dit-elle lorsqu'elle est face à lui... *Cet inconnu* de Bugaragh.

— Parfait. Vous êtes aimable, Nora... Aimable... »

Il fixe le chapeau sur sa tête et enferme sa belle tignasse blanche. Important les cheveux...

Ils ont tous les deux un léger accent. Un accent ? Un mélange d'accents...

Des images traversent la tête du vieil homme... Un

jeune homme et une jeune femme qui marchent au bord d'un canal... Un vol de cygnes sauvages... Une femme dans une cabine téléphonique... Un enfant dans sa chambre... Simon et Marianne... Et hop ! La guerre, encore elle. Le vacarme des vols de nuit. Musique de cauchemar...

La guerre, il lui semble qu'il n'a connu qu'elle durant toute sa vie... La guerre et quelques femmes... Leurs visages, leurs corps, comment s'en souvenir sinon avec le parfum qui servait à les habiller chaque matin... Mais la guerre, elle, c'est une marée noire qui englue, qui détériore les paysages et encrasse la mémoire... Pourtant elle porte avec elle les passions... Sentiments à haute dose, humains, la vie terrorisée, exaltante.

Mais pourrait-il y avoir une nostalgie du malheur...

La femme qui vient d'apporter le chapeau s'est assise sur un canapé, au fond de la pièce. Elle a allumé un petit havane. Elle demande : « Simon, Marianne... ? Qu'en faites-vous, ils souffrent à présent... C'est ce que vous vouliez, non ? L'intrusion du malheur... »

Dehors, le ciel est net. Pas de nuages, un ciel presque blanc. Les gens marchent emmitouflés de manteaux. Un après-midi d'hiver.

« ... Simon et Marianne ont fini par s'éloigner l'un de l'autre parce qu'ils ne savent pas ce qu'ils veulent faire de leur vie et bien sûr, au fond d'eux-mêmes, ils voudraient la réussir. Mais moi aujourd'hui, je ne peux dire à personne ce que c'est que réussir sa vie... »

Il boit lentement, déguste la vodka et repose son verre.

« ... Je crois qu'ils attendaient beaucoup de l'amour tout en subodorant qu'il y avait là une rengaine qui n'était plus de mise... Vous avez remarqué cela, Nora ? L'amour, ils en faisaient les gestes, en prenaient les attitudes, le langage... Mais si on avait pu voir au microscope de quoi leurs élans étaient faits, nous aurions été très déçus. Vous surtout... Peut-être sommes-nous en train de vivre un temps où les sentiments disparaissent... »

Une sonnerie de téléphone. Elle décroche. L'homme n'a pas bougé, il reste le dos tourné à la femme, comme s'il avait jusque-là parlé ailleurs ou seulement à lui-même... « Non, il est sorti... Une promenade... Au revoir. » Elle raccroche.

Il ne demandera pas qui vient d'appeler.

Cet homme, Kaspar George Becker, né à Moscou, a traversé l'Europe par petites étapes, Varsovie, Berlin (où il changea de nom), Heidelberg, Vienne pour finalement atterrir ici, à Paris, à la fin de la guerre.

« J'ai connu des privations, la terreur, quelques amours... J'ai traversé des océans sur des paquebots luxueux et certains pays dans des wagons à bestiaux. J'ai aimé ce foisonnement qui m'a fait rencontrer des hommes en tuxedo, l'œillet rouge vers le cœur, Gershwin, Chopin en fond sonore, d'autres qui étaient des épaves, à bout de course, et dont les dents se déchaussaient... »

Comment savoir ce qu'il y a à l'intérieur d'une

162

folie d'écrivain ? Il parle et se souvient sans cesse de lui, de personnages inventés, d'autres qu'il a rencontrés, des morts qui l'ont quitté, les absents...

Un visage surgit... La jeune Rouchinska, déportée dans un camp de Mordovie et qui chante cette chanson derrière les barbelés : « Merci barreaux rouillés, merci les longs fusils !...Sans vous, seul un long passé, une longue vie m'auraient donné cette sagesse d'aujourd'hui... »

Le malheur absent...

Un visage encore...
Juin 1942. Dans un train qui mène en Sibérie, une jeune femme est debout. Elle parle.

Aucune vitre pour regarder le paysage. D'ailleurs, tout est blanc, glacé et s'il y avait le moindre petit carreau de verre, il n'y aurait rien à voir pour se distraire. Des femmes autour d'elle, des petites filles, des enfants, assis à même le sol. C'est un wagon fermé et l'odeur y est infecte. Il n'y a pas de sièges dans ce train. La jeune femme prononce des mots qui ne sont pas les siens.

Deux sentinelles en uniforme écoutent. Ou n'écoutent pas. Les femmes assises se sont rapprochées l'une de l'autre en prévision d'un malheur. Dans le train de l'exil, il ne doit y avoir aucun livre ou, s'il en reste, ils doivent être brûlés, déchiquetés, anéantis...

Alors, debout, lentement, allant au tréfonds de sa mémoire chercher les mots qui ne sont pas les siens, la jeune femme lit à ses compagnes d'infortune le chapitre premier d'*Anna Karenine*...

Elle, Evguenia Guinzburg, vivante, est le lieu où se mêlent à cet instant, la littérature et le malheur.

La lumière extérieure a baissé. Kaspar George Becker écrit en hiver, car les journées sont courtes et il n'aime que la nuit.

Nora tend un autre verre plein. Des glaçons tintent à nouveau. La lumière laser qui lisait sur un compact-disc les informations nécessaires pour restituer le chant des fauvettes orphées s'est éteinte.

Nora se place devant Kaspar George Becker et prend une photo :

— C'est parce que vous croyez que je vais mourir d'une minute à l'autre...

— Exactement !

— Aujourd'hui, les seules étreintes sont celles des assassins, eux seuls ont le désir de l'autre. L'amour a disparu, comme la syphilis ou le scorbut...

Un temps, puis,

Vous l'aimez ce titre, *La Guerre*.. Un peu emphatique non ?

— Surtout si vous persistez à y inclure des histoires d'aujourd'hui ..

— Mais la guerre n'a jamais de fin, Nora... Vous le savez. C'est la guerre des êtres, des sentiments, la guerre du désert et des villes, du tiède et des passions...

2

... Lorsque j'ai froid, je me couvre.
Lorsque j'ai peur, je me réfugie.
Lorsque je suis seul, je m'observe.
Lorsque j'ai mal, je me tue...

Kaspar George Becker ne dort pas. La nuit est là, une enveloppe de silence et de secrets. Face à la baie qui domine toute la ville, il ne peut s'empêcher de penser aux drames, aux petites crasses qui se nouent à ces instants mêmes. Il va et vient dans l'immense salon : regarder la ville est un poison, une drogue douce où puiser sans cesse une séquence de détresse, un râle, une confidence. Des bras, des oreillers frôlent des nuques, des tarentules surgissent dans des têtes épuisées d'alcool, des bouches entourent des sexes pour tenter une énième fois de percer le mystère du désir.

L'enfance est l'âge de la magie et du mystère, seuls les artistes emportent cela avec eux pour le long voyage qui suivra, se dit-il.

Avant de quitter son écritoire pour profiter de Paris sous la nuit, il continue...

... Ce matin, tout m'a glacé. Le froid, la saison, l'immobilité...

Peu de paroles, tout chuchote, seule la guerre éructe et annonce la tragédie. Chacun s'insinue comme il peut entre cris et silence et parfois la trace d'une voix se confond avec un bruit de vagues. Pourtant, il faudrait le laisser ce poème au monde, longtemps

165

avant d'avoir fini de vieillir, et pouvoir mourir douce-
ment, la paix dans l'âme de ne pas avoir failli à la
mission de trouver le vrai visage des mots. L'univers et
une voix pour le raconter, témoin d'une légende qui
n'aurait pas existé...

Qui parle lorsque toute l'histoire des hommes se
retrouve ramassée dans un geste, un regard de terreur,
un désir ?

3

Nora n'est ni l'épouse, ni la sœur de Kaspar George Becker. Sans doute, il y a longtemps, lorsqu'ils se rencontrèrent à Vienne, ils furent amants et se rendirent à la Ferdinandstraße que Broch et Musil fréquentaient de temps à autre. Elle est la femme qui a passé une partie de sa vie avec Kaspar George Becker et dès leur première rencontre elle avait accepté d'être sa collaboratrice. Confidente plus qu'amante.

Pourtant elle pourrait dire : je l'ai toujours aimé cet homme. Il n'y a eu que lui !

Elle lit, copie, et ne se gêne aucunement pour critiquer, suggérer, changer le cours des choses. Elle dit lorsqu'elle déteste, et peut aussi déclarer à Kaspar George Becker qu'elle l'aime, sans préambule, un soir d'hiver comme celui-là, alors que les fauvettes orphées ont cessé de chanter dans l'appartement du XIIIe arrondissement.

Lui, pendant la guerre et quelques années après, il a pensé qu'elle était morte dans un camp de Sibérie. Lorsqu'ils se sont retrouvés sur le quai de la gare de l'Est à Paris dans les années cinquante, forcément ils ont pleuré. Il y a des larmes dans les gares. Pas à cause des départs. Ce sont les retours les plus terribles. Parce qu'il y a l'histoire d'un visage qui vous frappe en plein cœur. C'est un continent qui surgit, que l'on avait quitté en été, et qui revient lors d'une saison mauvaise, labouré par la guerre, les ans et les hésitations.

C'est magnifique un visage que l'histoire a marqué de ses fers et de son feu.

Les étreintes des retours sont maladroites. Les mains, les bras croient serrer des épaules qu'ils reconnaissent, alors que ce sont des morceaux de glace, transis de peur et d'étrangeté qui se laissent enlacer. Il y a une habitude des gestes qui semble se retrouver à la seconde, comme si le temps n'avait pas existé, mais c'est, en plus d'un corps, du temps et un espace qu'il faut étreindre, l'espace d'un exil avec des forêts, des kilomètres de forêts et de routes mêlés à des rêves d'absence, et tout cela ne peut être embrassé par un seul geste.

Cette étreinte des gares où un homme et une femme se retrouvent est le plus terrifiant des gestes que chacun ait un jour à vivre. Les bras ressemblent à deux rames qui essaieraient de franchir la mer en un seul mouvement... Mais l'émotion ne peut, à elle seule, remplacer les distances parcourues par deux mondes qui ont si longtemps dérivé l'un de l'autre...

4

Kaspar George Becker ne peut dormir tant Simon et Marianne sont présents. Dans ses pensées, là, il les voit auprès de lui avec leurs têtes remplies de questions. Comment combler une séparation, d'événements qui pourraient les amener à découvrir le secret de leur volonté et de leurs sentiments ? Qu'ils se retrouvent vibrant comme un quartz au tempo du monde ? Comment introduire en eux des sensations disparues, qu'ils osent enfin la passion, la foudre, qu'ils trouvent une place, un lieu où ils puissent dire, j'habite ici, ce morceau de planète est à moi et je m'y sens relié à toutes les phases du temps, aux morts et aux vivants ?

Comment dans la quiétude démocratique, éloignés des turpitudes mortelles, leur injecter cette dose minimale de malheur à partir de laquelle s'instaurent les fraternités, l'élan et l'amour... ?

L'amour n'est pas l'addition de deux séductions réciproques, ni une béatitude miraculeuse que la loterie du ciel distribuerait à quelques heureux gagnants, c'est une histoire. Une histoire où doivent chaque fois s'inscrire, en transparence, toutes les autres histoires, passées et actuelles, pour ne pas avoir à épouser un corps de hasard, mais le représentant d'un peuple, d'un passé, d'une mémoire.

... Ils s'étaient rencontrés et avaient cru que leurs attirances suffiraient à ce que s'étreignent leurs âmes, que s'empoignent leurs rêves et les secrets, pour pouvoir

169

se nommer amants, c'est-à-dire : ivres de monde et immensément indulgents pour ceux qui y vivent en même temps qu'eux, emplis de compassion pour les victimes d'hier et d'aujourd'hui, leurs frères et sœurs en humanité. Alors qu'ils avaient à se révolter contre tout, ils ne surent que s'éloigner pour fuir une incapacité à se regarder tels qu'ils étaient. A cette heure, remplis chacun du deuil de l'autre, ils pleurent d'être seuls... Mais peut-être chacun ressent-il qu'ailleurs, dans un autre lieu que là où il se trouve, l'autre partage le même effarement, une identique misère et communie d'un même déchirement...

5

Marianne regarde le ciel vide d'étoiles. Elle est une femme seule qui pense à un homme absent.

Dans la chambre d'un hôtel en briques rouges, près du périphérique, Simon est allongé sur un lit à couverture acrylique à franges et entend la rumeur des voitures. Il sait déjà reconnaître le passage des camions.

Le jour a peu d'importance, un début de semaine...

La nuit, les images sont fugitives, elles tiraillent. Elle et lui savent que se joue quelque chose entre eux d'invisible. Ils savent cela, parce que la nuit est leur ennemie, cruelle : elle ravive des images de jour pour les enfoncer sur l'écran de leurs yeux grands ouverts... Les militaires font des rêves de jour qu'ils mettent à exécution, les amants font des rêves de nuit qui les exécutent.

En tournant la tête, Simon voit par la fenêtre le ruban incessant des phares qui contournent la ville. Comme s'il y avait là un mal à éviter, une plaie à ne pas effleurer.

Ils imaginent déjà que c'est peut-être la dernière nuit qu'ils vont penser l'un à l'autre de si loin et que demain il faudra mourir pour ne plus avoir à se souvenir d'une telle nuit. La mort se glisse toujours dans l'interstice des séparations. Mais ils ne se sont pas quittés. Eloignés, c'est cela non ? Ils en parlaient... Mettre de la distance, une ville, un arrondissement entre eux, pour se percevoir autrement, s'imaginer, souffrir d'un visage. Et cet éloignement ne s'est pas perpétré pour mettre l'autre à terre, l'humilier ou l'abattre.

Un éloignement pour apprendre l'espace entre un homme et une femme.

6

Marianne fixe le lit sur lequel il y a peu de temps Simon s'allongeait auprès d'elle. Elle se dit que ce n'est pas grand un corps. Ça occupe peu de place un homme, avec ses jambes, ses bras, sa tête et sa poitrine. C'est un creux sur une couverture blanche, un autre plus petit sur un oreiller. Une absence, c'est un ensemble d'objets qui restent posés là, sans la main à qui ils appartiennent pour les bouger. Elle regarde... Un inventaire : des livres, des vêtements, des disques, des bandes magnétiques, un crayon de papier avec gomme, un paquet de tabac à rouler entamé, des magazines, des bristols blancs recouverts d'écriture, un briquet publicitaire, un carnet... Elle ne cherche pas à découvrir des secrets, elle prend ces morceaux de Simon, les déplace, les porte à son visage, les effleure, les respire. Elle pense qu'un jour, s'il ne revient pas, il faudra tout camoufler dans une malle, anéantir cela pour ne pas avoir chaque jour un signe qui fait tressaillir.

Elle n'attend rien du téléphone. Trop tôt. Ce désir d'entendre retentir une sonnerie ne viendra que plus tard.

Tout son corps n'est que question. L'immédiat, l'avenir, tout à l'heure. Une blessure à murer tout de suite, attendre ? Se déprendre d'une histoire ou encore l'espérer...

173

7

S'aimer ! En ont-ils jamais parlé ? Y a-t-il eu, en dehors de quelques gestes que la vie apprend doucement, de quelques paroles que l'usage apprend également, une correspondance, un échange ? Qu'est-il passé du corps de Marianne dans la peau et les muscles de Simon ? Quels atomes de la pensée de Simon ont traversé celle de Marianne pour en faire une molécule nouvelle sans nom, ni prénom et qui aurait pu provisoirement être répertoriée sous le sigle MARIANNE ↔ SIMON, non consignée à l'état civil ou dans une quelconque église ?

Pourtant, aujourd'hui, ils souffrent plus que jamais de la perte d'une habitude, d'un objet adoré. Cette souffrance est-elle celle de n'être plus regardés, attendus, entendus ? Est-ce seulement une voix qui manque, un corps, la caresse, une machine à vivre qui s'était posée à côté et qui est repartie fonctionner ailleurs ? Ils parlaient peu ou pas d'avenir et ne connaissaient, chacun de l'autre, que quelques séquences remarquables de son passé, ce qu'on appelle des souvenirs personnels. Ils ne s'étaient jamais demandé si vivre ce ne pouvait être que cela, des morceaux de mémoire qui s'entortillent entre eux, au hasard, pour tenter d'éviter d'avoir mal ou d'avoir encore peur. Ils avaient pensé que l'on pouvait fabriquer une histoire d'amour sans connaître l'histoire de l'amour, pareils à des croyants qui se réfugient en Dieu sans savoir comment il fut pensé et créé par des hommes, afin que ces mêmes hommes puissent l'entendre et se soumettre à sa loi.

Simon et Marianne ne se sont pas pensés ni inventés, ils se sont pris tels quels et n'ont pas eu à s'incliner l'un devant l'autre. Ils se sont embrassés, effleurés, ils ont ri, ont joui, et la seule loi qu'ils s'inventèrent fut une loi de circonstance : être bien ensemble pour dissimuler le mal d'être seul. Une histoire de camouflage. Une tenue camouflée amoureuse pour avancer face au monde sans se faire bousiller. La tenue de guerre des paras est aux couleurs de la campagne, la leur n'était ni aux couleurs des villes, ni au rouge de la passion des hommes.

Au début du siècle, on appelait Staline, *la tache grise*. Leur tenue d'amour portait cette couleur.

8

Temps aboli, KGB joue avec lui. Des dates du passé émergent pour se mélanger, non se confondre, avec celles d'aujourd'hui. Avec des visages aussi, des événements.

Le 15 juin 1932, une heure avant l'aube, la mère de Kaspar George Becker meurt d'une attaque longtemps redoutée, dans la chambre d'hôtel au numéro 5 de la rue Siroka, donnant sur le vieux cimetière juif de Prague. Il arrive trop tard. Elle est allongée sur le lit et porte un chemisier de dentelle. Le personnel de l'hôtel a disposé une centaine de petites bougies allumées tout autour du lit, sur les commodes, la cheminée, les guéridons, les rebords de fenêtres. C'est dans cette chambre du numéro 5 de la rue Siroka qu'il aimerait aller mourir. Il pense cela, à cet instant. Alors que la douleur aurait dû régner là, il se souvient qu'il n'a pas pleuré une mère qu'il aimait, qu'il chérissait, tant tout y était paisible et qu'il se sentait bien de la regarder, d'être à ses côtés dans un hôtel où rien de ce qui avait pu se passer n'avait laissé la moindre trace. Couloir idéal entre les vies, entre la mort et la vie, comme les Celtes qui appelaient la mer et certains marins de la nuit : des *passeurs de mort.*

...

1933, il est à Vienne, une jeune femme l'accompagne : Nora. Mais, aujourd'hui, à cet instant, il veut que cette femme qui est à ses côtés porte un autre visage, celui de Marianne ; qu'elle connaisse cette avant-scène du meurtre qui se tramait au centre de l'Europe, dans les années trente.

Donc, Marianne et lui sont à la Ferdinandstraße, et ce soir-là Hermann Broch et Robert Musil sont de la partie. Ils ne se détestent pas. Mais l'un gêne l'autre. Ils s'épient, jouent les distraits et mettent des convives entre eux pour ne pas avoir à échanger trop de paroles.

Broch :

L'histoire des gens est dans l'air qu'ils expirent, dans l'air qui sort de l'intérieur de leurs corps. Ce sont ces forces de l'atmosphère, les microbes et les haleines qu'il faut ausculter pour connaître l'instant d'une époque, et celui de ceux qui la vivent...

Musil déteste Vienne : une capitale figée dans le culte du passé avec son minable esprit provincial !

Mais il rêve aussi et demande pourquoi ne pas envisager la création d'une communauté d'intellectuels indépendants de toute corporation ? Il précise : « ... indépendants du lieu, de l'époque, de la nation, de la race car convaincus que l'histoire de l'esprit maintient, à travers les bouleversements politiques, sa démarche propre ».

« Comment est-il possible de s'extraire de son époque ? demande Marianne. Nos rêves, nos pensées, nos phrases, nos regards sont en elle, enfouis en elle... Nous sommes les rêves d'un temps, d'un lieu et d'un espace et nous ne pouvons nous extirper du monde... »

177

Pendant que Marianne continue de parler, Kaspar George Becker regarde Hermann Broch. Sa tête d'oiseau semble légèrement affaissée entre les épaules. Il est ailleurs, ou plutôt, à l'intérieur de son silence. Il respire curieusement. Un souffle obstrué, arythmique. Son roman *Les Somnambules* vient de paraître et chacun est encore en fraîcheur d'admiration. Ce que Kaspar George Becker devine ce soir-là, c'est que Broch perçoit le monde avec son souffle. Pas avec les yeux ou les oreilles : avec le souffle...

Marianne s'est tue. Musil la regarde longuement, puis se tournant vers Broch, semble avoir de la peine pour lui. Un léger balancement de la tête vient d'avertir celui-ci que Musil s'apprête à parler à nouveau. Il coupe court :

Mademoiselle, vous dites quelque chose de juste, mais le travail de l'artiste est de désorganiser le réel et de rendre insensées les apparences du monde. L'observateur influe, modifie ce qu'il observe. C'est cela le nouveau mystère que les découvertes de physiciens comme Bohr ou Heisenberg viennent de nous apprendre. L'écrivain est responsable, en partie, des transformations de son terrain de chasse — le monde — qu'il observe et qu'il emporte avec lui...

Comme s'il voulait, en une phrase, compresser l'univers de l'écrivain dans un dé d'où cet univers ne pourrait plus sortir, Musil s'empresse de conclure : écrire, c'est passer des années à dénouer un petit nœud de la vie.

9

Kaspar George Becker écrit de plus en plus vite. Ecriture illisible que seule Nora peut décrypter. Une frénésie, une urgence, les mots s'engouffrent dans son corps, terminer ce qui est commencé...

... Je voudrais, avant de partir, comprendre une histoire d'aujourd'hui. Qu'est-ce qui fait que les sentiments simples semblent s'être dévoyés ?

Tant de choses que je n'ai pas comprises...

Comment ne pas apporter aide et compassion à Marianne et Simon, non pas les aider, il y aurait là quelque chose d'humiliant pour eux, et pour le monde qui continue à produire du vivant, de l'emberlificoté, du complexe... Mais écrire, n'est-ce pas lancer un trait de lumière au milieu du bruit et du fatras, un signe, un repère aussi mince soit-il, dans la tourmente...?

— Pour Simon, j'imagine très bien une fille, vulgaire peut-être, et qui, pendant un long moment de jours et de nuits, deviendrait son seul repère vivant, dit Nora. Elle serait sortie de la multiplicité pour lui offrir un seul monde, elle... Nora réfléchit, puis : il faudrait qu'elle porte un prénom peu usité en France, un prénom de l'est de l'Europe... Elle serait venue de Varsovie à Paris au milieu des années quatre-vingt, profitant d'un convoi humanitaire...

— Marcella ! dit KGB.

— Oui, Marcella. Elle repérera Simon par un détail (à trouver) et lorsqu'elle aura aperçu ce geste

179

ou cette attitude, plus rien ne pourra la détourner de cet homme. Il y a parfois, à l'intérieur d'un geste, une fatalité contenue qui fait qu'une histoire commence et que ceux qui la vivent ne peuvent se résoudre à la faire disparaître avant même qu'elle ait commencé... Il y a eu souvent le mouchoir qui tombe, un rendez-vous décalé qui conduit à connaître une personne qui n'aurait pas dû se trouver là, la *modification* d'un voyage, perturbé par un visage inattendu...

— Lorsque je vous ai vue pour la première fois, à Vienne, vous étiez au café Central, à l'angle de la Strauchgasse, et vous avez sorti de votre sac un flacon de parfum. Vous l'avez respiré plusieurs fois en regardant autour de vous... Vous vous souvenez ?

— C'était *Shalimar*, oui. Mon père venait de me l'offrir pour mon anniversaire et j'hésitais tant à le porter que je le testais dans tous les endroits où je me trouvais, au café, dans les restaurants... Près de la colonne de la Peste ou sur le Hof, vous auriez sans doute pu surprendre le même geste.

*

Lorsque au matin, Simon quitte l'*Hôtel des Passagers*, près du périphérique, il sait que le soir, c'est lui seul qu'il va retrouver. L'éloignement, et le désert d'une chambre anonyme modifient ses perceptions et sa mémoire.

Alors que Marianne touche les objets d'un absent, Simon peuple sa chambre d'un visage qu'il n'a jamais regardé. C'est Lucien, l'enfant qu'il ne connaît pas, qui lui revient. Sans cesse. Comment a-t-il pu durant des années le laisser à côté de son existence ? Il ne s'était jamais posé la question et aujourd'hui il ne sait pas y répondre. Il l'imagine et se dit qu'il a les mêmes cheveux que lui, fins, et qu'il va toute sa vie porter la main vers son front pour tenter de les recoiffer. A moins qu'il n'adopte le mouvement de tête qui renvoie les mèches vers l'arrière...

Aujourd'hui, Lucien parle, court... Pense-t-il à lui, Simon, et connaît-il ce prénom ?

*

... « Nora, vous n'avez pas oublié qu'en Ile-de-France vit l'enfant de Simon, passionné comme lui, sans qu'il le sache bien sûr, par les oiseaux migrateurs du nord de l'Europe, les cygnes et les oies sauvages qui traversent en hiver, le continent gelé. Et il les imagine couverts du givre et des glaces bleutées de la Sibérie... Le soir il les attend, au dernier étage de la résidence où il habite avec sa mère, et ne souhaite qu'une chose : que l'un d'eux se pose sur le balcon et le réveille d'un bruit d'ailes contre ses fenêtres... Oui, c'est ça. L'enfant attend les cygnes aux ailes de givre... »

Kaspar George Becker jubile. Il continue : les enfants savent réunir ce qui est séparé...

— Vous n'allez pas nous faire des retrouvailles mélo du père et de l'enfant ! lance Nora.

— Il y a plusieurs manières de se rencontrer. L'imaginaire en est une. Et puis, on peut aussi se retrouver, non pour s'étreindre, mais pour aussitôt repartir ailleurs, à deux.

Il semble soudain réjoui, une idée encore le traverse...

— Je crois même qu'il va y avoir une surprise... Mais je ne vous en dis pas plus... Usons de cette différence : les adultes *savent* qu'ils imaginent, alors que les enfants *croient* ce qu'ils imaginent.

Mais le sourire qui vient d'éclairer son visage est de courte durée : il faut nous dépêcher Nora, j'ai de plus en plus mal aux yeux...

— Vous n'avez jamais voulu dicter...

— Sûrement pas ! jamais... L'écriture, ce sont des mots qui s'inscrivent sur du papier avec un stylo ou une machine à écrire. La bouche doit rester fermée pour que le monde ne puisse s'échapper. De plus, les mots que l'on prononce sont toujours trop éloignés du raffinement, de la folie et de l'orgueil des mots écrits...

— Raffinement, folie, orgueil... répète doucement Nora.

Puis comme si elle voulait tout envisager, sachant que le réel se dérobe à toutes les prévisions : et Simon, s'il prenait peur et se sauvait lorsque Marcella viendra lui faire ses avances ?

— Il en est capable, j'y ai songé. Mais finalement, je ne le crois pas. Il n'a jamais connu d'amour sordide qui soit en même temps un amour entier. Le don total de soi pour une femme qui ne vous est rien, sinon la seule femme au monde, à cet instant, à vous étreindre et vous dire qu'elle vous aime...

— Et Marianne ? demande Nora.

— Chaque chose en son temps... J'y songe.
Allons-y ! et avec méthode :
1/ D'abord Marcella.
2/ Lucien, la surprise que je vous ai promise.

D'abord Marcella.

A

Une autre nuit, le même froid.

Des propriétaires ont posé une housse sur leur voiture en stationnement, d'autres ont glissé un carton d'emballage entre les essuie-glaces et le pare-brise. Une jeune femme dans une cabine téléphonique porte un long manteau dont le col est relevé. Les maisons à l'entour aux fioritures 1930 indiquent un arrondissement moyennement huppé. Non loin, devant une brasserie à auvent rouge et inscriptions dorées, des écaillers s'affairent puis se réchauffent les mains près d'une plaque d'amiante rougie. La jeune femme à la cabine jette de temps à autre un regard derrière elle. Vérifier que personne n'est en attente... De la buée se forme près de sa bouche lorsqu'elle parle : « Bien sûr que je suis allongée... Non... par terre... Mon sexe est brûlant... Pas complètement, une combinaison... en soie et des bas... Toi, tu es déshabillé ? Je n'aime pas les bas à élastique, ça mord les cuisses... Oui, un porte-jarretelles en soie aussi... Gris... Doux, tu peux le caresser, passer tes mains des bas à ma taille... tu sens la soie ? Et la peau tu la sens ?... Plus que ça, quatre-vingt-quinze ! Ils sont lourds, tu les caresses mes seins, les bouts se dressent, caresse encore... j'aime... Oui, tu vois juste, ils se balancent légèrement quand je marche... Là... Ton sexe est terriblement dur... Reste à l'entrée, n'entre pas maintenant... C'est brûlant, oui mes doigts trempés... Rien que pour toi, ton plaisir... Tu as commencé... je t'entends, moi aussi... je suis avec toi... C'est ensemble qu'il faut jouir, je sais jouir en même temps que les hommes... Tu veux... »

Quelques minutes plus tard, la jeune femme raccroche et compose aussitôt un autre numéro pour dire simplement... « C'est Marcella... Un quart d'heure comme prévu... Merci... Toi aussi, bonne nuit... Demain appelle à mon hôtel... Bisous, tchao ! »

Elle sort de la cabine et traverse le boulevard pour rejoindre une brasserie où la lumière s'éteint à l'instant où elle va y entrer. Au loin, on peut apercevoir un gâteau surmonté de bougies qui est amené vers une table où des convives entonnent aussitôt... « Happy birthday to you... » Marcella s'adresse à un des écaillers... « Les cons, comme si ça faisait moins chic de chanter simplement, bon anniversaire... »

Dans un appartement aux lourdes tentures de velours, l'homme avec qui Marcella parlait vient de raccrocher. Paupières baissées, silencieux. Une femme, dans une autre chambre, est endormie. Elle porte sur le visage un accessoire que l'on donne dans les vols long-courriers, un bandeau bleu foncé fixé sur les yeux pour ne permettre à aucune lumière de traverser. L'homme pense que son existence est faite de pièces cloisonnées et que tant de secrets s'y sont accumulés qu'ils ont fini par les remplir.

Ce soir-là, Marcella parvint à trouver un taxi aux

abords immédiats de la brasserie où elle avait dîné, seule. Le chauffeur, un Asiatique (elle n'en fut pas aussitôt certaine), avait apposé, ne pas fumer s'il vous plaît, un autocollant que l'on trouve dans les dépôts de taxis. Elle annonça l'*Hôtel des Passagers*, à la Porte de Montreuil et l'homme, après avoir affiché sur son compteur le montant de la prise en charge, s'engagea vers l'Etoile.

B

Le lendemain soir, les mains enfouies dans une pelisse bordée de fourrure, à l'intérieur de la rame de métro de la ligne n° 9, Simon hésite. Il aurait aimé ne pas être seul dans sa chambre de l'*Hôtel des Passagers* pour ouvrir la lettre que Marianne lui a donnée en quittant l'appartement du canal. Et c'est entre les stations Buzenval et Porte de Montreuil, avant de descendre à sa nouvelle adresse, qu'il décide de décacheter ce qu'il ne devait ouvrir « qu'à l'entrée du paradis... »

« A l'instant où j'écris, tu n'es pas encore parti, mais je sais qu'il va y avoir cet espace entre nous. Pour quoi en faire ? Restera-t-il vide ou bien aurons-nous besoin d'électrochocs pour à nouveau nous attendre, trembler de froid de n'être pas ensemble, frémir, avoir la gorge nouée... Qu'est-ce qui est en train de se tramer entre nous que nous ne possédions pas auparavant. Je me demande si cet espace se remplira de déchirures, de désir, de rêve ou au contraire se videra des quelques gestes, confidences que nous nous étions offerts... J'ai écrit sur un mouchoir cette phrase qui nous va bien... "Les amants seraient épouvantés s'ils mesuraient l'infrangible barrière qui les sépare et les séparera toujours malgré l'apparente harmonie de leur unique joie..." Quant à nous, la barrière est visible, à présent. Qu'est-ce qui nous a empêchés de prendre les choses comme elles venaient... Mais les choses viennent-elles ?

Loin de toi, *Marianne.* »

La rame de métro arrive à la station Porte de Montreuil. Il glisse le billet dans l'enveloppe et fait le geste d'approcher de son visage le parfum dont elle est imprégnée. Le parfum de Marianne. C'est cela qu'il a cherché en s'éloignant, une présence de Marianne autre que Marianne.

Ce geste, respirer une lettre au dernier moment, fit penser à Marcella que l'homme qu'elle était en train d'observer était séparé d'un monde et qu'un parfum lui permettait de le retrouver.

Elle a peu à dire sur elle, sinon qu'elle vend des mots prononcés au téléphone à des inconnus et qu'elle vit depuis une semaine dans le même hôtel que Simon. Peut-être parlerait-elle de son voyage à Varsovie où elle est allée retrouver une sœur, un père et une mère qu'elle n'avait pas revus depuis cinq ans.

Pour Marcella, Simon est seulement l'homme qui vient de respirer une lettre dans un wagon du métro.

Les lettres qu'elle a reçues de Pologne pendant cinq années n'étaient jamais parfumées, pourtant elle les a respirées des centaines de fois pour tenter d'y repérer l'odeur d'une rue, d'une saison, de l'intérieur d'une maison ou d'un bureau de poste.

Arrivée dans sa chambre d'hôtel, elle sait qu'elle va tenter de joindre l'inconnu du métro. Quand la nuit tombe, les volontés se taisent, le désir vague d'inconnu réapparaît... Il ne peut raccrocher.

Peut-être lui dira-t-elle que depuis longtemps elle est morte, qu'elle ne vit pas. Que les mots qu'elle prononce depuis des mois sont des jeux, des mécaniques érotiques, mesurées, calibrées. C'est un travail, comme prêcher ou promettre, si elle était en religion ou en politique.

Ce soir, elle allait dire les mots d'une vivante, même si après cela, il ne lui serait plus possible de vivre.

Marcella regarde la nuit assombrir la ville. C'est un morceau de ville qui s'offre à son regard, la torche vibrante des phares du périphérique avec, de l'autre côté, ce qui est appelé banlieue, et qui n'est plus Paris, la capitale. Les immeubles et lumières y sont déjà différents. Elle pense aux limites, aux contours, aux minces pellicules, invisibles, les fils et les lignes qui délimitent les corps, les mondes, les pensées. A Francfort-sur-Oder, là où elle est passée de Pologne en Allemagne, ce n'était pas vraiment la Pologne, ni déjà l'Allemagne, pourtant d'autres mots y redéfinissaient les mêmes choses et les mêmes songes.

Comme s'il se préparait quelque chose d'important, ses gestes se sont arrêtés, elle est immobile. Elle se dit qu'elle va se déshabiller, poser sur le lit des bas de soie, une jupe, et que si elle parle ce soir de ses vêtements, et de son corps, il ne pourra y avoir de place pour le mensonge.

Elle attend et redoute cet instant.

Pour la première fois elle va annoncer à un inconnu qu'elle est là, offerte, non pour qu'il prenne, mais qu'il sache qu'à l'instant où il entendra des mots prononcés, ils seront l'image exacte de ce qu'il sera capable d'imaginer.

Elle décroche le téléphone.

C

... « Je voudrais ne pas revoir votre visage. Jamais. Connaître seulement ce qu'est une étreinte sans regard. »

La femme dit qu'elle est là, dans cet hôtel, depuis une semaine et qu'elle a seulement parlé avec un jeune Arabe qui vendait des réfrigérateurs d'occasion. Elle dit qu'elle a prié, assise, le dos appuyé au radiateur de sa chambre, qu'elle a maudit le bruit du périphérique et qu'elle a imaginé, à l'instant où elle priait, Dieu sous la forme d'une fleur, un magnolia, à l'intérieur duquel on pouvait lire des milliers de noms de personnes et de villes.

Simon entend son souffle à travers la mince grille de plastique du téléphone.

Il improvise : ce soir, j'ai les cheveux gominés et je ressemble à Federico Garcia Lorca... Elle dit qu'elle ne connaît pas cet homme. Il demande, croyez-vous que nous puissions parler d'amour sans nous nommer, sans savoir...

Elle l'avait coupé... Non, notre envie à l'instant n'est pas de savoir. Savoir, c'est déjà penser au temps et à la durée alors que là, notre désir c'est prendre quelqu'un dans ses bras et se dire qu'il est le seul être au monde à cette seconde à sentir votre peau... Le seul.

Vous connaissez Varsovie ? Il y a une rue de la Mort et tout au bout une fontaine... Mais je ne sais plus, je veux vous dire tant de choses, des noms de banquises, des noms de tableaux... Prononcer doucement Bot-ti-cel-li, c'est bon à dire comme boire un marc italien, vous demander : pleurez-vous en voyant un éléphant mourir ?

Mais j'ai envie finalement de vous dire mon nom pour qu'il y ait le dessin d'un visage qui se forme dans votre corps lorsque vous penserez à moi : Marcella. C'est rugueux n'est-ce pas ? Je vous parle et je peux vous dire, sans conséquence, que je vous aime parce qu'à cet instant rien ne compte : que vous, votre voix, votre présence. Vous avez remarqué que nous vivons entourés de gens absents. Ils disent, film, méditerranée, taux d'intérêt, europe, froid de chien, mais ils ne sont pas là, ce sont des paroles sans corps qui se déversent à longueur de jours et de nuits à la surface du monde.

Dites-moi vos mots de présence, je vous offrirai les mots de ma vie et le corps qui va avec...

Voulez-vous que je mette des bas ou simplement que je vous *dise* que je suis en train de mettre des bas ? que vous sentiez la soie des mots et imaginiez le haut de mes cuisses comme l'écrin parfait, le lieu exact de votre désir. Ou alors, vous me voulez nue, sans parfum, un corps anonyme, lisse, sans fard, un corps du monde... ?

Rien de votre avenir ne peut être en moi...

Mon corps, mes hanches, mes seins, mon sexe, l'odeur de ma bouche, tout cela, vous l'oublierez, ou plutôt, vous croirez l'avoir oublié comme on croit disparus les mots d'un poème, alors que sa force a tracé en vous, à jamais, une marque indélébile pour avoir, un instant, parfaitement décrit une réalité dans le temps même où elle fut vécue...

Je suis exactement le monde qu'il vous est donné d'étreindre pour la première fois sans avoir à vous poser la question de savoir quand vous aurez à le perdre... De cette histoire, il ne restera rien. Vous ne me parlerez d'aucun lieu autre que celui où nous nous sommes trouvés, enlacés de mots, de solitude et de l'odeur de moisi d'un hôtel une étoile, au bord du périphérique. Vous étiez présent, j'étais là. Même cette femme dont vous respiriez le parfum est absente de cette chambre. Vous étiez venu chercher un espace à disposer entre elle et vous, et vous rencontrez une femme qui se trouve dans une séquence de vie identique à la vôtre...

C'est votre premier amour sordide... Qu'aucun film ne veut décrire, car il n'est rempli que d'obscurité et pour une fois, ce n'est pas un visage qui vous a donné du désir, mais un morceau de nuit, une absence de regard... Vous n'avez pas eu à vous poser la question de savoir quoi faire entre l'apparence et le secret d'une femme, vous êtes, avant de la connaître, à l'intérieur de cette femme, dans son histoire, à l'intérieur de ses mots comme de son existence. J'aurais pu avoir commis un meurtre à la seconde même où nous allions nous parler que ça n'aurait rien changé pour vous. Pour la première fois vous ne vous posez pas la question du temps avec moi : vous savez que vous exécutez un instant de votre vie et qu'il vaudra pour l'éternité.

Elle est là. Simon sent son odeur. Un bruissement. De la soie ? Il ne sait plus comment cela a commencé. Est-elle entrée pendant une longue respiration alors qu'il l'imaginait encore dans sa chambre, ailleurs ? Mais là, il y a sa présence, il le sait, un corps qu'il peut toucher en faisant un simple geste : tendre la main et toucher une femme inconnue. Il ne voit pas ses yeux. C'est une ombre, cette femme... Il pense à son sexe, à ses seins, elle a parlé de tout ça, de son corps. Et son sexe à lui est rempli des attentes et des pleurs de toute cette ville qui attend, gonflé aux mots qu'elle disait, à cette histoire de la nuit où aucun regard ne s'est échangé.

Pourtant, il y a bien deux personnes dans cette chambre et le désir les enveloppe. Il pourrait dire, je ne vous aime pas, je suis éreinté, mais il dit : je veux rester collé à vous des jours et des nuits, sans plus rien voir du monde.

Lucien, la surprise que je vous ai promise.

L'enfant regarde sa mère, le corps nu de sa mère dans la salle de bains. Il prononce doucement les mots de ce qu'il voit et de ce qui l'intéresse. Il les répète pour lui, seins, tétons, poils... Privés des choses qu'ils désignent, les mots se dégustent. Il ne veut pas toucher, oh non, regarder, c'est tout, c'est bon, c'est sa mère et il l'aime.

Plus tard, il ronchonne et tente de grignoter quelques minutes de télévision avant d'aller dans sa chambre. Puis il est allongé dans le lit, entouré d'animaux sauvages, impitoyables et cruels dont il connaît les noms et les aventures farouches qu'il a disputées avec eux.

Le baiser. La bouche de maman sur le front, les joues. Sa voix...

La porte se referme doucement et maman parle encore. Les yeux ouverts, Lucien s'habitue à la presque pénombre. Dans quelques minutes il se relèvera pour regarder le ciel après avoir écarté les rideaux. Et puis, plus tard, il y aura *la visite* ...

Dehors, c'est une nuit d'hiver normale. Froide, gelée même. Le thermomètre est au-dessous de zéro et du givre se forme sur les pare-brise des voitures garées dans le parking. Une cité composée de bâtiments blancs d'une dizaine d'étages. Lucien habite en haut d'un des immeubles. Sur sa gauche, la forêt et en face, sous le ciel, Paris, très loin, comme un mirage avec les lumières qui scintillent et une lueur orangée, qui éclaire le dessous des étoiles. Lucien pense que c'est la plus belle carte postale du monde.

Du salon, le son de la télévision lui parvient uniforme et faible. Il faudra pourtant attendre que ce bruit cesse car c'est un rendez-vous d'amour qui l'attend. Tout doit être calme, paisible, silencieux.
Sa mère et lui vivent dans ce trois-pièces au dernier étage d'un ensemble de tours blanches. Elle, c'est Alice. Il la voit tous les jours, elle accourt quand il pleure, elle cuisine, lave la vaisselle, parle des heures au téléphone... Il l'aime, il ne peut y avoir de danger, il l'aime pour le jour et pour la nuit, elle ne peut s'enfuir, le laisser seul en face du monde.
C'est au bord de la mer qu'elle est la plus belle, plus belle qu'en hiver, parce qu'il y a le vent et le soleil et qu'il peut l'entendre rire plusieurs fois dans la même journée...
Lucien tourne la tête vers le réveil, les aiguilles marquent à peine dix heures. Un tigre noir et jaune est posé à côté, sur l'étagère ; près de lui, un jouet à écran qu'il va suffire d'allumer pour qu'un oiseau, celui qui fait le plus rêver Lucien, se mette à voler. Il appuie sur le bouton électrique, le jouet s'éclaire et un cygne sauvage, aux ailes blanches et grises bordées de noir, avance dans l'azur. Les nuages bougent eux aussi. Parfois les étoiles les remplacent et c'est la nuit d'hiver. Le cygne sauvage vole à côté de lui et c'est comme s'ils étaient ensemble dans le ciel. Il entend le bruit des ailes qui appuient sur l'air et le

font vibrer tout autour... Il sait qu'il traverse le monde pour lui tenir compagnie avant que son *rendez-vous* n'arrive. C'est du nord de l'Europe que l'oiseau est parti, là où les brise-glaces remorquent les bateaux que la mer a brusquement saisis...

Dans le salon, à côté, Alice regarde un album de photographies. Pitreries en tous genres, visages qui changent d'une année à l'autre, vieillissent d'une page à l'autre : Lucien bébé barbotant dans une piscine en plastique de jardin, grimaces, fous rires, des poses, enlacements, baisers surpris, paysages familiers, des lieux et des décors où elle s'est trouvée avec des espérances, une tranquillité d'esprit, des amis à ses côtés, des épouses, des maris, son enfant.

Lucien vient d'éteindre le jouet du cygne blanc. Il l'a regardé une fois encore poser ses ailes sur l'air du monde pour avancer, partir plus loin, là où il est impossible de ne pas aller, puis il s'est allongé et a tiré vers lui sa couverture. Ecouter. Attendre. Il retient sa respiration. Des pensées à toute vitesse s'amusent dans sa tête, l'eau de la mer, faire pipi dans les vagues, les empreintes des pieds dans le sable, les gaufres, le sucre qui s'envole, le toboggan, sauter dans l'écume, un cerf-volant, rire, creuser... L'enfant se souvient, il invente, essaie de deviner ce qu'est être un homme, comment est l'Amérique, l'intérieur d'un volcan, le fond des océans .
Soudain, sans bruit, *il* est là, apparu, son rendez-vous.

Debout au milieu de la chambre. Un homme. Il porte une pelisse bordée de fourrure.

— Tu aurais pu t'endormir, je t'aurais réveillé...

— Je t'attendais...

— Tu as dessiné ce que je t'avais demandé hier ?

— Oui, dit Lucien, c'est dans mon cartable. Tu veux voir ?

L'homme prend un morceau de la couverture qui pendait et borde soigneusement l'enfant. Il pose une main sur le bord du lit, l'autre près du visage, sur l'oreiller.

— Cet après-midi, dit l'enfant, j'ai entendu dans une voiture une femme qui chantait très fort, comme à l'Opéra. Alors quelqu'un a klaxonné derrière elle, elle a remonté sa vitre et j'ai vu sa bouche qui continuait de remuer...

— Tu as appris quoi aujourd'hui ?

— Qu'il y aurait peut-être la guerre, que la lumière était la chose qui allait le plus vite, à Paris, sur la terre et dans les étoiles. Il s'est arrêté : tu es triste, tu n'es pas heureux de venir me retrouver ? dit l'enfant.

— Si, je suis heureux, mais...

— Je peux t'aider, les enfants ont des pouvoirs... La preuve, tu es là, alors que toi tu ne sais même pas m'appeler et me faire venir là où tu habites... Est-ce que, lorsqu'il fait jour, tu te souviens de ma chambre, de mes yeux... ?

— Non... Je ne crois pas, dit l'homme à la pelisse.

— Est-ce que tu sais que moi je pense à toi,

même le jour, dit l'enfant, que je t'attends, que je connais ton visage, que je devine quand tu es heureux, ou triste comme là, un homme harassé...

— Tu en connais des mots !

— Hier, maman m'a lu un poème où on disait *harassé et fourbu* : deux mots d'un coup pour dire qu'on n'en peut plus... C'est ça, tu n'en peux plus ?

— Non, au contraire...

— Tu as peur ?

— Un peu, mais j'ai envie d'aller partout... Voir les mers, les forêts ...

— Comme les cygnes sauvages...

— Oui. Comme les cygnes sauvages ! J'ai rencontré celui qui vole le plus haut, le plus vite, celui qui se trouve à la pointe du vol en V de l'escadrille... Il a battu ses ailes devant moi...

— Pour te dire que je le connais... Il y a plein de messages que les gens ne voient pas. Toi, tu l'as vu, c'est bien, dit Lucien.

— Je voudrais...

— Moi, enchaîna Lucien, je voudrais que tu me prennes dans tes bras de jour, que tu me donnes des baisers de jour, qu'il y ait de la lumière autour de nous, des néons et le soleil, t'entendre dire que je suis ton garçon et qu'on aille dans un supermarché avec un caddie immense et que l'on ramène des crayons, des cassettes vidéo, du papier kraft, un dictionnaire, des câlins...

— Des crados, des tortues Ninja aussi ?

— Tu fais le malin avec ce qui intéresse les enfants, mais je les ai déjà... Maman aussi voulait

199

avoir l'air au courant, et elle les a achetés avant que j'aie à demander...

— Comment elle va ?

— Elle pense à toi... Mais je n'ai pas fini, insiste Lucien, pour que l'on se retrouve au supermarché, il faut que je vienne te chercher, puisque toi tu ne viens pas. Et je saurai te trouver...

— Ah oui ?

— A Paris !

— C'est immense !

— Pas plus grand que la forêt, et j'y vais souvent la nuit...

L'homme se pencha vers Lucien pour l'embrasser.

— Alors tu reviens quand ?

L'homme semblait fatigué. La main posée sur l'oreiller vint frôler le visage de l'enfant, fit un mouvement vers les joues, puis saisit une mèche de cheveux...

— Demain soir, dit-il.

— Et en vrai... ?

L'homme disparut et Lucien resta, longtemps encore, les yeux ouverts.

10

Merci pour la surprise ! dit Nora.

C'est ce que je vous avais annoncé, n'est-ce pas ? dit Kaspar George Becker, les enfants croient ce qu'ils imaginent...

Ils viennent de dépasser le supermarché des frères Tchang, dans la partie asiatique du XIIIe arrondissement. Musiques, écritures, langages, il suffit de laisser aller ses yeux et ses oreilles pour être sur un autre continent.

Nora semble préoccupée : il y a un point curieux dans l'histoire de Marianne... Cette fille a dû être terriblement marquée par cet épisode d'une lecture faite à un homme, son père, et qui avait décidé de mourir... C'est presque choquant !

— De vouloir mourir auprès de sa fille ?

— Oui, déjà... Mais qu'elle ait continué sa lecture sachant que son père était mort.

— C'est une attitude magique... En continuant de faire entendre sa voix qui prononçait les mots d'un roman, Marianne voulut faire comme si, depuis le début du chapitre de *Belle du Seigneur*, rien autour de la littérature ne s'était passé... Le réel devait provisoirement continuer d'être cette lecture commencée !

Face à eux, une famille asiatique avance sur le trottoir. Le père pousse un caddie dans lequel s'empilent deux valises défoncées, des sacs poubelle gonflés d'objets, un petit poste de télévision couvert d'une pellicule grasse imprégnée de poussière... A côté de l'homme et de la femme, un jeune garçon et, juchée au sommet du déménagement, une petite fille à tresses noires, des rubans rouges dans les cheveux et qui semble ravie de cette aubaine de pouvoir enfin regarder son quartier à cette hauteur...

Kaspar George Becker, toujours à l'affût et qui ramène sans cesse la conversation à ses préoccupations, demande à Nora quelle image de la guerre elle retiendrait... « S'il y avait une image, une seule à conserver, laquelle choisiriez-vous ? »

Nora réfléchit et, puisqu'ils ne sont pas pressés, ses pensées vont à la vitesse de leurs pas. De la buée sort de sa bouche comme si elle allait répondre, mais elle semble jouer avec l'air glacé. Elle hésite...

— Je crois que je vous dirais, les bottes... Des bottes noires, en cuir et qui frappent le sol, une rue ou un trottoir... Le martèlement des bottes !

— Pourquoi ?

— Nous nous étions réfugiés dans une cave avec les gens de l'immeuble et j'ai pu apercevoir, par un soupirail, un groupe de soldats qui avançait. Pour moi, ces hommes étaient la guerre en marche et ce que j'en voyais, les bottes, une image que j'ai retrouvée pendant des années dans mes rêves...

Ils étaient parvenus au bout de l'avenue de Choisy, boulevard Masséna, et décidèrent, plutôt que de rebrousser chemin, de revenir à l'appartement par un autre itinéraire. Ils firent quelques pas jusqu'à la station de métro et s'arrêtèrent dans une brasserie, à l'angle du boulevard de ceinture et de l'avenue d'Italie.

Une fois à l'intérieur, ils commandent du thé.

Kaspar George Becker retire sa chapka et son manteau, Nora son foulard et son duffle-coat. Vous n'êtes pas trop fatigué, demande-t-elle ? Il répond par un geste de la main et lance un regard vers un groupe de gens agglutinés près d'un coin de comptoir et qui suivent un match à la télévision. Autour d'eux, des consommateurs, en couples ou seuls, qui parlent peu. Certains lisent un journal, d'autres fument ou tournent une cuiller dans leur tasse.

Kaspar George Becker :

Regardez, là, ce sont plein d'histoires en train d'avancer. Si on pouvait voir se dérouler ce que renferme l'intérieur des têtes on serait submergé d'étrangeté. Une tête s'ouvre et ce sont des milliers de figures du désir qui surgissent comme des diables, désir de vivre ardemment, de mourir à l'instant, suicides ratés à recommencer, amours défuntes, tarentules à visages de femmes, mains de crabes qui enlacent et lacèrent, image d'un regard, des yeux qui traversent le cœur, la peur de tomber tout au fond, là, sans lumière... Et ça ne finit jamais, l'effroi et le désir. Il n'y a pas de fin à tout cela.

Elle dit : vous vous souvenez de ce débat, l'an dernier, sur la fin de l'Histoire ?

— Une idiotie... Pourtant, si cette fin annoncée n'est pas de circonstance, il me semble que nous vivons un temps où des peuples entiers en sortent, mais pour des raisons diamétralement opposées. Certains, par manque de technicité, restent ancrés à l'intérieur d'un monde, leur monde, où ils vivent, et dont ils connaissent tout : les fleurs, les parfums, les arbres, les herbes bénéfiques, les plantes vénéneuses, les animaux, les traces dans les sables ou sur la terre des marais, la topologie... Et pour eux, l'Histoire dont on parle est ailleurs et les effleure à peine. D'autres, bien que surarmés de technologie, radio, TV, fax, téléphone, s'en trouvent tout autant exclus tant la machine-monde à fabriquer de l'Histoire leur apparaît dissociée de leur vie, lointaine, exotique, étrangère. Le malheur pour eux, contrairement aux précédents, est qu'ils n'ont aucune technique pour entrer dans le monde, même local, qui est le leur...

— Où se trouvent-ils alors ?

— A la dérive ! Perdus leurs sentiments, leurs connaissances ou la capacité à capter des séquences de bonheur ou des séquences de malheur...

11

Il est tard. Il a échangé son costume de maffioso pour une robe de chambre grise en soie.

Kaspar George Becker écrit. Un grattement de plume sur du papier : la musique du rêve et des possibles.... Aimer, tuer, briser...

Dans le grand appartement du XIIIe arrondissement qui domine Paris, Marianne est là, une silhouette, une femme qui, assise dans l'ombre de la nuit, regarde en silence le vieil homme...

Elle écoute le bruit de la plume et assiste, muette, comme au théâtre, à l'écriture des secrets...

« ... Les bottes de la guerre sont noires, elles brillent la nuit et martèlent le sol. C'est ce bruit qu'ont entendu des petites filles et des jeunes garçons. Ils jouaient, mais avaient déjà peur des bottes noires. Un nazi n'est pas un Allemand. Il est nazi, il croit, il est un autre, le monde n'existe que pour lui. Les bottes avancent, elles frappent la terre comme si c'était la peau du monde qu'il faille rendre à leur merci. La peau du monde tremble, pareille aux cils des enfants qui regardent les bottes avancer. Tapis dans les fourrés ou derrière des soupiraux de caves, les enfants ont peur que la vie ce soit pour toujours les bottes qui avancent vers eux en faisant trembler la terre. Car il n'y a plus de ciel, plus de nuages, ni d'arbres, ni d'oiseaux-lyres possibles. A l'instant où les bottes noires avancent, il n'y a plus qu'elles, et la frayeur. Les bottes, elles, ne veulent rien savoir de cela. Elles marchent à la conquête du monde, parce que lorsqu'elles avancent, cette pauvre planète n'est plus qu'un minable trou de province sur lequel leur empire s'exerce... On les voit glisser à travers les fougères, derrière les hêtres et les herses, elles frappent, cognent, déplacent, raclent la boue collée à leurs semelles au granit d'une église, à l'escalier en bois d'une couturière, sur les tapis rutilants d'un hôtel particulier...

Les bottes noires qui brillent la nuit et martèlent le sol sont là pour effacer la mémoire. Dans les allées des musées, sur les dalles de marbre et les tapis Renaissance, elles s'arrêtent face aux tableaux, arrogantes, face à Matisse, Gauguin, Monet... Alors elles emportent dans des wagons plombés ces morceaux de monde destinés à ravir l'esprit, les sens et le corps. Les bottes mettent sous scellés la création et l'extase, les visiteurs et les rêves qui relient les couleurs regardées à leurs propres yeux.

On croit que les bottes noires de la guerre s'acharnent sur les corps, mais leur but ultime est d'anéantir l'invisible... »

Marianne : Cette guerre n'est pas la mienne. Vous l'avez vécue, pas moi.

Kaspar George Becker : Cette guerre, comme vous dites, n'appartient à personne, ni au vainqueur, ni au vaincu, ni à ceux qui l'ont vécue, elle est à tous. Elle ne s'est déroulée ni sur une autre planète, ni dans un autre temps, elle est dans nos corps, elle est notre actualité et la terreur des camps est votre douleur.

Imaginez, une seule et unique fois, que vous portez une tenue rayée, qu'il y a autour de vous des barbelés et que la peur et la faim vous tenaillent. Pourtant un soir, une femme vous fait ressortir de la cabane humide où vous gisez, harassée, et elle dit, viens voir, il y a un coucher de soleil incroyable ! Et vous sortez, Marianne, parce qu'un instant de beauté qui parvient à se nicher au sein de l'horreur et des humiliations, vous ne pouvez pas ne pas vous l'approprier...

Les guerres ne s'arrêtent jamais aux armistices, elles continuent dans les têtes. Des millions de gens sont morts et ils ne vous demandaient rien. C'est à vous de demander, d'exiger de savoir : comment, où, pourquoi ? C'était leur seul espoir... « Pourvu qu'on ne nous oublie pas, disaient-ils, jamais. »

Votre ennui à vivre n'est que la conséquence d'une ignorance. Vous avez cru que l'Histoire que l'on vous apprenait dans les livres d'école était survenue à d'autres que vous, à des étrangers, des gens éloignés à des années-lumière de votre monde et vous vous êtes empressée de tout oublier croyant qu'il serait plus facile de mener une existence désencombrée d'un passé qui ne vous concernait pas. Mais vous n'êtes pas arrivée sur terre dans un vaisseau spatial tombé par hasard d'une autre galaxie !

Kaspar George Becker avait presque crié en disant cela, puis après une longue respiration, sa voix s'était radoucie :

...Votre histoire a commencé ici, sur cette planète, il y a longtemps, et beaucoup d'hommes et de femmes qui vous ressemblaient, jeunes, pleins de foi pour l'avenir en ont été balayés... Votre mémoire, Marianne, est le lieu sacré où vous auriez dû déposer les images de ces gens, tout apprendre d'eux qui vous ont précédée, et vous ne l'avez remplie de rien.

Marianne s'était levée et, tournant le dos à Kaspar George Becker, était venue se planter devant la baie vitrée à regarder la ville. Simon est quelque part derrière un de ces scintillements. Que fait-il ? A qui pense-t-il ?

Il est si loin d'elle que tout à coup cette ville ressemble au ciel, infinie. Les étoiles, les mondes, quel télescope pourrait lui apporter le visage d'un homme ?

12

Nora n'a pas voulu assister à cette rencontre. Elle est face à sa machine à écrire, à l'étage supérieur du duplex du XIIIe arrondissement, un paquet de feuilles à son côté. Comme toujours, d'un regard d'ensemble, elle parcourt l'écriture raturée de KGB pour se faire une idée de ce qui l'attend, mais surtout découvrir ce qu'il est advenu de leurs conversations, parfois de ses suggestions. Souvent, elle se prend à écrire sur d'autres feuilles et se dit : comment aurais-je formulé cela, comment serais-je parvenue à extirper, avec mes mots, des instants d'émotion nouvelle à partir de ceux que la vie distribue avec une belle parcimonie ?

Des grands écrivains du siècle qu'elle croisa lorsqu'elle était à Vienne, c'est Kaspar George Becker, rencontré à ce même moment, qu'elle a, au plus près, vu à l'œuvre, faisant naître les instants où les personnages s'ébauchent, disparaissent pour que d'autres les relaient et rendent compte de la complexité et du foisonnement de l'existence. Elle fut témoin de ses recherches et put voir comment, au cours des années, il sut mélanger l'imaginaire au réel, le souhaité au rêvé. Elle a reconnu dans chaque roman le détail, le visage, l'objet, à partir desquels il était parti pour arriver à une autre matière, le romanesque, qui n'avait plus rien à voir avec le matériau de départ, mais qui finalement, une fois détourné, pétri, déformé, le rendait plus apte à parler au cœur et à la raison.

209

Avant de commencer sa dactylographie, elle sort, d'un tiroir, un cahier grand format, un journal. Après l'avoir daté, elle écrit :

« Aujourd'hui KGB a encore eu une alerte. Le médecin m'a confié que chaque jour comptait et que puisqu'il semblait de bonne humeur et plein d'entrain je devais le laisser écrire des nuits entières comme il l'entendait, marcher, boire sa vodka préférée et terminer à l'extrême, dans la sérénité, tout ce qui était commencé... »

Elle s'interrompt et sent des larmes monter. Elle change le style de son compte rendu et poursuit...

« Je vous aime, vous le savez et je ne sais toujours pas ce que ce mot signifie. Qu'il m'ait détourné des autres hommes ? oui, sans doute, sans pourtant écarter mon regard d'eux. Je les ai observés, certains m'ont émue, mais pour vous, vous seul, ce fut une évidence. Des gens, sans doute, élisent un lieu du monde parce que c'est là qu'ils vivront, qu'ils construiront une maison, la rempliront d'enfants, d'objets, de rires et de temps. Pour moi, ce lieu, ce fut vous, sans que jamais j'aie à me poser la question du pourquoi de cette élection. Il y a eu cette longue séparation des années quarante. Sans être à vos côtés, chaque jour, chaque nuit, aux pires moments, j'ai pensé à votre visage et à cette souciance du monde qui fut la vôtre. Tant d'années passées ensemble à aimer les mêmes villes, à détester les mêmes personnes ! C'est tout cela qui aura été ma joie d'être avec vous : partager avec quelqu'un et au même moment les mêmes goûts, les mêmes attirances

210

pour tout ce qu'est la vie et l'au-delà de la vie : l'art, la poésie, les lieux mêmes où se nouent et se dénouent les existences. »

13

A l'étage du dessous, la théâtralité monte d'un cran, trois coups au cœur, les lumières tombent du plafond en cônes étroits prêts à recevoir Marianne et Kaspar George Becker ; le reste de l'appartement est dans l'obscurité. Toile de fond, quelques millions de lueurs qui tremblent sous le ciel, Paris... Marianne, le front posé sur le verre de la baie, se découpe en silhouette.

« Vivre est une offrande, dit Kaspar George Becker sans la regarder, les yeux fixés sur l'écritoire. Certaines personnes, lorsqu'elles meurent, donnent leur corps à la science. Lorsque l'on vit, il faut donner son corps à l'invisible. Offrir à l'invisible, c'est sortir de soi, apprendre que l'on n'est jamais seul, même dans les moments d'horreur absolue, qu'un mince réseau existe entre soi et les autres et que tout ce qui peut sembler relever de l'inutile — pas du futile — est une trace invisible dont l'histoire des hommes est à jamais marquée.

Ecoutez, Marianne (elle s'était détournée de la baie vitrée pour venir vers lui et s'accroupir sous le halo de lumière où elle était apparue tout à l'heure), dans les trains qui menaient aux camps de la mort, des hommes, des femmes se mirent à se souvenir, à puiser dans leurs mémoires, le mot à mot de poèmes, de romans entiers pour en faire profiter ceux qui n'avaient jamais pu lire un seul vers, un seul fragment de roman durant leur vie. Pourquoi le faisaient-ils ? Distraire ? Faire passer le temps ? Non, jamais. Ils pensaient que cette nuit-là, demain peut-être, il était possible qu'ils meurent, que d'autres allaient mourir, mais qu'avant cela, il était nécessaire... Vous entendez ! Il était nécessaire qu'un homme, une femme, deux humains de plus aient eu connaissance de quelques mots écrits par Dante, Apollinaire ou Rimbaud...

C'est cela que j'appelle *la beauté du monde*, l'effort secret, anonyme de s'élever. Et ce que voulaient anéantir les bottes noires de la guerre, c'est la beauté du monde. La mémoire même de cette beauté...

Retenez ce nom : Evguenia Guinzburg. Imaginez, vous êtes Evguenia, elle a vingt-deux ans, comme vous, en 1942. Souvenez-vous Marianne, faites l'effort... Vous êtes dans un train de marchandises qui mène à Treblinka, Birkenau ou dans la Sibérie, un train qui mène à l'enfer, et vous dites des poèmes aux femmes qui sont avec vous. Des poèmes qui vous passent par la tête. Parce que, comme la musique, les mots de l'art relient les hommes aux souvenirs de leur cœur d'avant. Alors, vous psalmodiez ce que vous avez appris en classe, Musset, Lamartine, *La mort du loup*, les poèmes aussi que vous avez choisis pour les avoir découverts plus tard, seule, et vous regardez les visages lentement se tourner vers vous, et qui s'apaisent. Ce n'est plus un train qui mène vers l'horreur, mais un wagon où *une voix* parle du secret du monde, de *la beauté du monde*, de ce qui unit chacun à un trésor universel qu'il a le droit de

213

toucher et de prendre... Surgit un nazi, un kapo communiste ou un collabo français. Il vous a entendue prononcer des phrases qui ne sont pas celles de la conversation, mais qui sont de longues et belles séquences parlées. Chacun sait que les livres sont interdits dans ce lieu. Alors le garde-chiourme appelle du renfort, on fouille les poches, on soulève les corps allongés des malades, on ouvre les sacs de toile et, vous, vous affirmez que tout cela est dans votre mémoire et s'écoule par votre bouche comme d'une source. Ils ne vous croient pas une seconde et le maître de terreur vous lance un défi... « Si tu lis pendant une demi-heure un roman, debout, sous mes yeux, et sans livre, je te croirai. Si tu n'y parviens pas, tout le wagon sera exécuté... »

Alors chaque femme prie, vous regarde, supplie avec le regard pour que vous vous souveniez, Marianne... Vous ne dites rien et commencez à faire l'effort, vous cherchez dans les livres que vous avez lus celui que vous préférez, celui qui vous a le plus émue et qu'il faut absolument à cet instant faire sortir de votre mémoire... Vous ouvrez la bouche, un son sort de votre gorge. Cette voix qui est la vôtre va extirper des mots enfouis dans l'enchevêtrement de votre vie...

Comme Evguenia Guinzburg, vous vous souvenez !

Marianne est pâle et se voit au milieu d'un rectangle rempli de visages de femmes. Elle entend le bruit des roues aux jointures des rails et commence d'imaginer que c'est un voyage vers le pire. Lentement elle se lève. Sous le cône de lumière elle est

Marianne/Evguenia, cherche au tréfonds de sa mémoire, lorsque parmi toutes ces femmes, un visage d'homme... Ce regard ! La chambre de Nancy, le livre du père, le livre blanc au liseré rouge et noir, le plus beau roman d'amour, Solal, le héros qui s'enlaidit et cache ses dents pour que l'histoire avec Ariane commence de l'intérieur et non sur les apparences... La couverture, le titre, la dédicace, A MA FEMME, défilent sous ses yeux comme des pages qu'elle aurait tournées : elle voit. Puis les mots sortent de sa bouche pour lire, lire à un père mort, lire aux vivants pour qu'ils échappent à la barbarie...

« Descendu de cheval, il allait le long des noisetiers et des églantines... suivi de deux chevaux que le valet d'écurie tenait... par les rênes, allait dans les craquements en silence, torse nu... sous le soleil de midi, allait et souriait, étrange et princier, sûr d'une victoire. A deux reprises, hier... et avant-hier, il avait été lâche et... il n'avait pas osé... Aujourd'hui en ce premier jour de mai, il oserait... et elle l'aimerait... »

La voix de Marianne avait changé, grave, presque enrouée, elle disait les mots du premier chapitre de *Belle du Seigneur*, lentement, mesurant chaque mot, le trouvant parfois au tout dernier moment, mais il arrive juste à temps pour que le rythme ne se désunisse pas.

Cela dure. Elle continue. Marianne se souvient. De chaque mot.

« (...) Il endossa l'antique manteau déteint... si long qu'il descendait jusqu'aux chevilles et recouvrait les bottes. Il se coiffa ensuite de... la misérable toque de fourrure, l'enfonça... pour... dissimuler les cheveux, noirs serpenteaux. Devant la psyché, il approuva le minable accoutrement. Mais... le plus important restait à faire. Il enduisit les nobles joues d'une sorte de vernis... appliqua la barbe blanche, puis découpa deux bandes de sparadrap noir, les plaqua sur... ses dents de devant, à l'exception d'une à gauche et d'une à droite, ce qui lui fit une bouche... vide où luisaient deux canines. »

Marianne est épuisée.

Les femmes pleurent et la prennent dans leurs bras. On lui donne de l'eau, elle boit. Puis là, dans une chambre d'hôtel, un corps inanimé : le père apparu dans un autre segment de sa mémoire, l'homme qui avait voulu entendre par la bouche de sa petite fille les plus tendres mots d'un vieil écrivain juif.

14

Leitmotiv d'un désarroi, après une telle soirée, elle est revenue marcher le long du canal.

Le ciel est nu, seule la lune dessine une traînée blafarde sur l'eau. Elle porte son béret, une grosse veste doublée, une écharpe. Des visages planent derrière ses yeux, comme une carte de géographie qui indiquerait où se trouve le lieu qu'elle cherche à atteindre. Ou à oublier.

Evguenia, son père, Simon. Ces gens éloignés d'elle et à qui elle se sent à présent rattachée ne se sont jamais rencontrés ; elle est leur seul lien.

Elle regarde sa vie marcher le long d'un canal et pense que si elle le suivait, elle irait rejoindre une rivière, puis un fleuve, puis l'océan...

L'eau va toujours vers d'autres lieux et les gens restent sur eux-mêmes.

Le café *Cargo* a brûlé et le néon bleu n'est plus là pour lui rappeler les vins chauds à la cannelle qu'elle y buvait avec Simon.

Elle sent une force la pousser vers l'obscur, l'inavouable, vers des visages et des lieux où il suffit de s'engouffrer pour rencontrer le paysage, l'astre brûlant où tout bascule, où le battement du cœur du monde s'accorde au rythme de son pouls.

C'était un temps à marcher. A voir Paris sous la nuit, à laisser avancer son corps en se fiant à la mécanique des pas, des jambes qui vont l'une après l'autre. Elle retrouve, pour la première fois depuis le jour où elle est allée se réfugier à la DDASS, ce sentiment d'être brisée. Le désarroi, elle l'avait toujours vu en images d'hôpitaux, à l'entrée des urgences avec des gueules adolescentes emportées par la drogue, tentatives de suicide, vieillards prostrés vêtus de peignoirs pastel. Cette fois, entre les hangars à bateaux du bassin de la Villette, c'est elle, cette image dévastée.

Elle s'engage sous les arches métalliques du métro aérien et prend la direction du IXe, vers Barbès.

Des voitures ralentissent parfois en arrivant à sa hauteur, crânement elle regarde les occupants et poursuit sa marche sans en changer le rythme. C'est vers le quartier de la Goutte-d'Or qu'elle aperçoit les premières lueurs, comme si Paris-Ville lumière reprenait soudain son titre dans ce quartier de l'Orient.

Lorsqu'elle franchit la porte de l'*Al Djezaïr*, quelques visages d'hommes se tournent, mais aucune agressivité dans ces yeux fatigués qui la dévisagent... A cette heure, chacun a affaire avec les embarras de sa vie. Elle demande un thé à la menthe qu'on lui sert brûlant et reste debout, appuyée au comptoir. Une musique arabe sort d'un poste stéréo planté entre deux bouteilles d'alcool retournées. Un garçon près d'elle lui tourne le dos. Debout, lui aussi. Elle demande s'il a du feu. Le garçon se retourne et sort un briquet qu'il allume aussitôt. Elle lui prend le bras, le baisse, puis, au-dessus de la flamme, pose ses doigts. L'homme du comptoir qui regarde hausse les épaules. Elle dit, le feu c'est pour brûler les morts et pour brûler l'ennui. J'ai mal aux doigts et maintenant, je ne vais penser qu'à ça.

Puis elle prononce les noms de Simon et d'Evguenia... Le garçon demande qui ils sont. Elle dit : des souvenirs.

Elle voit alors Simon, allongé, les yeux ouverts qui interrogent le silence et la nuit.

15

Dans la pénombre d'une chambre de l'*Hôtel des Passagers*, c'est Marcella qui, à cet instant, remplit le regard de Simon. C'est comme ça une rencontre. Là, dans la chambre où il faisait froid, il y a des laves et de l'été. Peut-être qu'il y aura plus tard des pleurs, un déchirement, mais pour l'instant, c'est déjà l'attente et la jouissance. D'habitude, ce n'est jamais comme ça, il y a un ordre : attente puis jouissance. Là, c'est les deux, dans un temps identique. Cette nuit, les mots se croisent, les sensations meurent de n'être pas ressenties comme le corps les avait apprises.

Les hommes rêvent trop des mots que les femmes prononcent, et Simon a peur. Peur d'étreindre un corps de paroles... Son rêve fut-il si grand qu'il s'est transformé en cette onde de femme qu'il voit trembler devant lui ? Mais l'ombre s'est remise à parler, elle lui dit qu'il faut beaucoup vivre avant de mourir, qu'il faut apprendre à étreindre l'intérieur d'un corps, comme s'il n'avait jamais porté de visage, comme si la séduction ce n'était pas seulement ce que voient les yeux.

Apprendre ça avant de mourir, seulement ça — sinon il n'aurait servi à rien de vivre — savoir aimer ce que ses yeux n'ont pu regarder.

Ils prononcent des mots simples, le nom des saisons, le froid, le chaud, l'horizon, le ciel. Simon improvise sur la Pologne et livre ce qu'il connaît, Cracovie, Gdansk, Geremek, Wojtyla, Popieluszko, elle dit oui, que Varsovie sent la cendre, que c'est noir et gris et que la vieille ville a été reconstruite et que c'est comme Disneyland, que les briques, les fenêtres, les ombres, les toits sont les mêmes, mais qu'il manque aux pierres la souffrance, qu'il n'y a pas eu assez de grêle, de gel ni de larmes pour que la ville ancienne soit une ville où on puisse venir apprendre un passé.

Lorsqu'elle ferme les yeux, il pense aux nuages qui cachent le ciel.

Simon n'a découvert son corps que le troisième jour, il a vu ses cuisses et ses seins, les petites lignes blanches près des hanches, comme si un jour il y avait eu là un enfant. Mais elle jure que non, que jamais quelqu'un ne s'est installé dans son ventre, ni sur son ventre, ni entre ses cuisses comme lui le fait, la nuit, à dormir sur son sexe.

Ils ne se demandent pas quand ce roman de chambre va prendre fin. Pourtant, ils savent qu'il faudra un jour revoir la rue et les visages, toucher des billets de banque et entendre le bruit de la monnaie. Il lui dit encore qu'il l'aime et sait qu'elle ne va pas poser de question, ni sur le temps, ni sur la mort de cet amour. Et elle le croit lorsqu'il lui dit qu'il l'aime. C'est un amour de maintenant, une histoire sans histoires.

Elle dit qu'aujourd'hui les hommes et les femmes ont peur de tout. De la mort, alors, il n'y a plus de mort... Les hommes et les femmes ont détesté Dieu,

221

alors il n'y a plus de Dieu et aujourd'hui encore les hommes et les femmes se sont mis à détester l'Histoire et le monde, et il n'y a plus d'Histoire ni de monde. Plus les pays ont gagné en puissance, plus les habitants sont parvenus à s'éloigner de Dieu, de la mort et de l'Histoire, et nous sommes remplis de savoir-faire et vides de savoir-vivre.

Au septième jour, on frappe à la porte et ils devinent que ce bruit venu de l'extérieur est une sentence. Un homme se présente et les chasse. Ils vont devoir à nouveau souffrir, se chercher dans les labyrinthes des villes, ne plus entendre les mêmes mots, parler des langues qu'ils ne comprendront plus ; les sueurs d'amour devront s'évaporer, et leurs mains se dénouer. Un courant d'air va emporter l'invisible agencement qui s'était tressé autour d'eux. Leur monde, celui de Simon et Marcella, devra s'éparpiller dans l'univers et s'y dissoudre.

Marcella dit qu'elle va s'en aller.

Il leur reste une nuit.

Elle dira qu'ils ne doivent pas dormir, qu'il leur faut garder une part de cette innocence. Que l'histoire qu'ils étaient venus chercher n'était pas celle d'une impuissance à vivre, mais un désir de désir, qu'elle s'est vécue dans l'obscurité, derrière les rideaux tirés d'une chambre obscure pour y vivre un amour renversé.

Lorsqu'il regarde Marcella s'enfuir, Simon pense a un bord d'océan, la même scène d'une autre histoire où il y aurait des plateaux de fruits de mer et la pince rose des crabes, du citron et des algues.

Là, il y a du papier mauve, un lit défait et des mains éperdues qui vont revenir s'attacher aux corps desquels elles s'étaient échappées.

223

16

Marianne ne passe plus au *Bar de l'Oubli*. Elle se
dit : Savoir... Apprendre... Comprendre... Faire...

Un photographe du magazine, qui a fréquenté
quelques lieux de la planète où la fatigue et la peur
occupent la majeure partie de ceux qui les habitent,
lui dit en montrant la photo d'une jeune fille, apeurée
après un bombardement d'hélicoptères... J'aime
cette possibilité que j'ai de photographier la souffrance des gens et de faire à ma façon quelque chose
d'utile, de montrer des choses qui aient un sens... Il
dit que les photos servent à cela : ne pas oublier.
Marianne songe à cette plongée dans un événement
étranger à son histoire que Kaspar George Becker lui
a fait entreprendre, pour la faire entrer dans le flux
du monde, à l'intérieur d'un dérèglement duquel elle
s'imaginait à jamais exclue. Fêlures de vie
qu'aucune photo ne pouvait fixer, que ce soit celle
d'Evguenia Guinzburg ou la nuit tragique de Nancy,
Marianne est à présent un trait d'union vivant entre
ces deux moments étrangers l'un à l'autre, éphé-
mères, que reliaient déjà la littérature et le malheur.

Tout s'accélère et sa vie s'infléchit à nouveau. A
la station Palais-Royal, une jeune fille se met à
hurler, à crier des mots incompréhensibles. Tout le
monde la regarde, de loin, s'écartant de la folie
ordinaire par des gestes ordinaires. Lorsque la rame
du métro survient, chacun hâte sa fuite pour vite
oublier cette fille. D'ailleurs, la fille ne crie déjà plus

et Marianne n'est pas montée. Elle reste sur le quai et s'approche. Elle dit, elle ne sait quoi dire, alors...

— Je m'appelle Marianne et vous ?

— Camille, répond la fille.

— Pourquoi vous criez ?

— Parce que je voulais les effrayer, qu'ils sachent, qu'ils entendent ce que eux cachent : la peur, le cafard, l'ennui.

— Tout le monde sait ça, c'est pas la peine de crier...

— Si, c'est la peine. Tout est toujours la peine. Et personne ne crie. Je suis sûre que tu ne cries jamais. L'été, quand il y a la mer et la plage, je marche des heures la nuit pour apprendre à crier. Ça s'apprend. Sinon, on murmure et personne n'entend.

Marianne la regarde. Camille est plus jeune, quelques années de différence. Elles se sont assises sur une banquette, près d'une boutique de bijoux de pacotille.

Camille dit : Je savais, en hurlant dans le métro de Paris, qu'il y aurait au moins une personne qui allait me parler doucement.

Marianne : Je ne t'attendais pas, mais j'espérais trouver une amie...

Comme s'il s'agissait de fiançailles, elles s'offrirent deux petites bagues, monture argentée. Une rouge, une bleue. Camille dit que maintenant, elle habite Bagneux, en banlieue.

— Et c'est comment Bagneux ? demande Marianne.

— Tout le monde se connaît... Enfin, je parle du

Haut-Bagneux, pas de la Pierre-Plate où je ne mets pas les pieds. Mais là-bas il n'y a que des clans. Ceux qui habitent les pavillons et ceux des cités. Quand tu passes dans la zone pavillonnaire, tu te sens mal. Les gens te regardent de travers. Eux, ils se prennent pour des bourges, mais ils sont des demi-bourges. Ils gagnent quoi ? Ils ont la voiture, un bout de jardin. Alors ils classent les gens des cités : tous des zonards. Et nous, on les classe aussi : tous des bidons...

Le soir, Camille dormit dans l'appartement du IXe arrondissement. Le lendemain, Camille dit, viens, il faut aller plus vite que le temps. Ne restons pas là, quittons cette ville, on y reviendra plus tard, plus jolies, remplies de vraies routes, d'horizons, de vrais rivages, de vraies maisons, de voies ferrées, viens, on s'en va ! J'ai toujours rêvé d'Honolulu !

Marianne parle de son travail.

Camille : S'ils t'aiment, ils te reprendront, sinon, c'est qu'il valait mieux partir...

Marianne : Tu fais tout le contraire de ce qu'il faut. Tu ne finis pas tes études, tu pars à l'aventure comme si ta vie c'était l'Amazonie et tu y fonces sans vaccins, sans carte, sans provisions, à l'aveuglette...

Camille : Moi, je ne veux pas confondre un écran de télévision avec l'horizon. Avant nous, des tas de mecs et de filles sont partis sur des routes, ils ont trimardé, ils ont marché, c'étaient des poètes, des voyageurs, ils ont voulu brûler aussi fort que le soleil avec leurs seuls rêves, et aujourd'hui, parce que la vie serait plus difficile, on nous dit qu'il faut marcher droit. Mais la vie, elle n'est jamais droite, c'est plein de tangentes, de raccourcis, de bifurcations dangereuses. Il y a le sida, la mort piétonne, la mort par attentat, la mort partout autour de nous, alors autant la rencontrer un jour, remplies de paysages, ayant appris plein de choses sur les autres, après avoir marché, usé ses chaussures sur les goudrons, sur le sable des plages, sur les caillasses des sentiers, c'est ça. Décide-toi ! t'as vingt-cinq ans et t'as jamais dormi ailleurs que dans ton lit. C'est catastrophant..

— Catastrophique !

VI

LES ÉTOILES S'ÉLOIGNENT

« *Je veux mourir en disant de belles phrases.* »

Bernard-Marie Koltès.

1

Que venait-il de se passer ?

Simon avait rencontré une extrême présence et Marianne fait connaissance avec un passé extrême. Tous deux se retrouvaient absorbés par du mouvement et de l'effervescent. Ils ne se sentaient pas maltraités par ce qui était survenu, mais une chimie nouvelle les accaparait pour les transformer. Sans avoir rien eu à conquérir ils avaient triomphé d'eux-mêmes, d'un repli, celui qui avait été le leur et dans lequel ils s'étaient complus, fatigués, las de tout avant que d'avoir eu à vivre. Rien ne leur avait jamais été interdit, au contraire, et lorsqu'ils s'étaient sentis cernés de parfums étranges ou d'extravagances, ils ne s'étaient pas autorisés à en faire usage. Non par absence de désir, mais l'abondance autour d'eux d'objets et d'événements les avait contraints — puisqu'ils ne pouvaient les saisir tous — à ne se fourvoyer avec aucun. Ils s'étaient sentis gainés de latex, d'une mince pellicule translucide qui permet de saisir sans toucher, entourés de vitres transparentes par lesquelles tout défilait si vite qu'ils s'étaient contentés de voir, sans regarder. C'étaient ces minces parois invisibles, mais réelles, qu'ils sentaient se dissoudre, s'évanouir et brusquement, la mémoire, le toucher, l'instantané, le malheur les connectaient à ce qu'ils avaient cru pour toujours le monde d'à côté, celui d'en face, de l'autre rive, là vers où il eût été inutile de faire un pas, un geste, un effort pour y pénétrer tant il semblait à portée de main.

Cet îlot sur lequel ils avaient commencé de vivre ensemble n'existait plus et venait de s'engloutir pour les abandonner aux vagues, aux tempêtes, à la fureur des vents et à la foudre.

Marcella disparue, Simon passa deux jours à sillonner Paris, à regarder les statues... Montaigne au square Paul-Painlevé, Delacroix au jardin du Luxembourg, les fontaines, celle des Quatre Parties du monde dans les allées de l'Observatoire, les lions de la fontaine de Jacquemart au jardin des Plantes, à entrer dans un musée, celui d'Orsay pour Van Gogh, à écouter du jazz au Petit Opportun, aux Alligators, un ancien ciné de l'avenue du Maine transformé en Cotton Club, à retourner pour la énième fois à la Défense, tant l'espace vide de l'arche, par où s'engouffraient le vent et les nuages, lui semblait un lieu divin, l'image visible de ce qu'il imaginait être un dieu d'aujourd'hui, cerné d'un béton grandiose avec le ciel à l'intérieur.

Camille et Marianne glissèrent doucement vers le sud, rencontrèrent un chauffeur de camion, ancien défroqué, qui les conduisit à Lyon en écoutant à tue-tête des cassettes de chants grégoriens.

Près d'Avignon, elles logèrent dans un village à flanc de rocher, dormirent dans une chambre dont les murs avaient été creusés dans le calcaire même. Le ciel limpide et l'arrivée du printemps les faisaient chanter, elles trouvèrent des champs de roses et

232

d'œillets, et restèrent une nuit, dehors près d'une autoroute, à regarder le ciel, les galaxies et les poussières d'étoiles.

— Fais un vœu !

— Je voudrais...

— Non. Dis : je veux !

2

En Ile-de-France, le jour s'est levé. La lumière traverse une verrière et éclaire un tableau noir où une jeune femme écrit le mot *soleil* avec de la craie.

Puisqu'il ne sait pas comment entrer dans un téléphone pour aller rejoindre la voix que l'on aime, puisqu'il ne sait pas où se trouvent les aéroports, ni les gares, puisqu'il ne connaît que la rue, l'avenue, la route qui mène quelque part, avec les voitures, avec les pieds, Lucien, un matin, sort de l'école. Il ne demande pas, il va, il marche, il dit, le petit garçon, qu'il marche vers l'homme qui ne vient que la nuit.

Il a décidé de le toucher, de l'entendre avec la lumière autour d'eux, lorsque le soleil est encore dans le ciel et qu'il n'est pas temps d'aller dormir. Aujourd'hui, ce jour, il ne faut pas attendre la nuit que l'homme aimé vienne en secret dans la chambre, il faut aller vers lui, pas à pas, en traversant les nationales, les carrefours, en enjambant les fossés, marcher sur les ponts, s'enfoncer dans les tunnels et revoir le jour qui mène à l'homme de la nuit.

Lucien ne s'arrête pas, il sait aussi qu'il faudra se reposer, alors, il prend des sentiers, traverse des champs de blé, longe les lisières des forêts.

Il sait qu'une fois dans la ville, on ne lui demandera rien.

Les gens qui l'aperçoivent à une station d'autoroute disent, tiens. c'est un petit garçon qui va retrouver quelqu'ur qui ne doit pas être loin. Et lui, il découvre l'odeur de l'essence, les chiffres qui tournent sur les pompes, les voitures qui repartent avec des enfants enfermés derrière les vitres des portières.

On le regarde et on pense à tout ce qui est simple et beau dans le monde. On pense aux cristaux de neige, à l'eau des fontaines, au sommet des montagnes.

Lui, il voit les distributeurs de café chaud avec sucre, mais il est sans argent et repart à travers champs.

On le regarde et on se dit qu'il doit y avoir beaucoup de rêves dans sa tête plantée de cheveux d'une finesse rare. Rêves de villes et de nuages, d'oiseaux, et de grands raids à faire au-dessus des parcelles de terrain colorées au marron, à l'ocre, au vert d'eau, vert chou, vert d'algue, vert émeraude, au vert Véronèse, des nuances infinies pour lesquelles on doit inventer un nom, à chaque fois, pour les décrire.

Souvent, il s'accroupit pour se reposer comme on le constaterait à Calcutta ou dans un village d'Asie, lorsque les hommes et les femmes n'en peuvent plus ou attendent un autobus... Pourtant, il n'a jamais vu que la mer et l'Ile-de-France, et il s'accroupit comme en Orient, pour souffler. Comme un jeune chien, on le voit parfois suivre une odeur, du sainfoin, une résine mais, tant il semble heureux, on pourrait croire qu'il s'agit de citronnelle, de giroflée, de valériane ou du parfum d'un lis...

Il voudrait savoir ce qu'il y a à l'intérieur des maisons et il pense à une cave, des chambres et un grenier et que cet ensemble de la terre qui monte vers le ciel est l'endroit où les gens vivent avec des secrets de caves et des secrets de greniers. Il marche sur le goudron et il dit, j'ai des pensées noires. Parfois, il s'agit de petits cailloux sur de la terre séchée et il dit, j'ai des pensées qui font du bruit. Et dans l'herbe, ce sont des pensées fluides et douces qui glissent sous ses semelles fraîches quand par bonheur il y a de la rosée.

Lorsque la première nuit est venue le rejoindre, il n'a pas eu peur, il a pensé aux papillons, aux chouettes et aux lapins dans les terriers et s'est mis à compter les étoiles. Comme il ne sait aller que jusqu'à vingt, il a recommencé plusieurs fois en faisant des paquets de vingt étoiles, puis il s'est endormi.

*

Simon remplit son sac de voyage. Il quitte définitivement l'*Hôtel des Passagers* et part pour une île aux oiseaux du bord de l'océan avec le vieux Tournier. Il ne passera pas dans l'appartement du IXe arrondissement. Peut-être à son retour. Mais il n'est certain de rien, seulement partir... Il a laissé allumé son nouveau magnétophone numérique (digital audio tape) qui diffuse des cris, des bruits d'ailes, des frottements... Les cygnes sauvages venus du nord. Peut-être les suivra-t-il vers le sud... Vers le Portugal, le

Maroc. A moins qu'il ne fasse le contraire, partir vers le nord du monde et voir les endroits de la lande d'où décollent les cygnes migrateurs.

On frappe. Il dit, entrez, mais rien ne se produit. Les ailes des cygnes sauvages battent l'air de la chambre et on refrappe à nouveau. Cette fois, il va ouvrir et se trouve face à un petit garçon transi, de la boue sur les coudes et de l'herbe sous ses chaussures. Un journal dépasse d'un pull-over, et son duffle-coat sent l'huile de moteur.

— Je m'appelle Lucien.

— ... ?

— Je te connais depuis longtemps. Tu viens me voir la nuit et moi j'ai marché dans l'Ile-de-France pour être avec toi le jour.

Simon dit qu'il allait s'en aller.

Lucien dit, c'est pour partir avec toi que je suis arrivé.

Alors, Simon prend Lucien dans ses bras et le soulève du sol pour le serrer.

*

Plus tard, face à la Méditerranée, Camille et Marianne se sont déshabillées et ont marché vers les vagues.

Il y avait une pluie douce qui tombait, et l'eau de la mer devint plus chaude qu'elle. Camille et Marianne regardèrent au loin, au-delà de la ligne d'eau, vers l'Afrique.

Marianne pensa à Rosa, Camille à rien.

Marianne prononça le nom de Simon, et c'était bon

de dire le nom d'un amour. C'est à cet instant seulement qu'elle aurait pu lui confier tous les mots de cet amour-là, parce qu'elle voyait bien qu'ils remontaient de loin et de très longtemps, des profondeurs de son corps, comme une histoire oubliée ou qui n'avait jamais pu s'avouer.

« La fin d'une histoire, dit Kaspar George Becker, c'est le début de toutes les autres...

C'est être parvenu à dénouer dans sa vie ce qui oppressait, ce qui faisait mal, ce qui ne donnait goût à rien, et s'octroyer la chance inouïe d'aller vers d'autres possibles, jouer avec les combinaisons d'un nouveau jeu. »

Nora sert des vodkas glacées, allume un cigarillo et a gardé à la main le chapeau que Kaspar George Becker lui avait réclamé et que finalement il n'a pas voulu mettre. Sa belle tignasse blanche court tout autour de son visage...

Il continue... C'est dans le désordre des ruptures et de la guerre des cœurs que, pareils à des étoiles qui se détachent pour fuir les pesanteurs et agrandir l'univers, des hommes à nouveau libres se mettent à *graviter* normalement, c'est-à-dire, en s'éloignant les uns des autres pour l'éternité. Notre destin, ou plutôt notre ambition, n'est pas de nous rapprocher pour nous tenir chaud, elle est au contraire de nous éloigner de là où nous avons commencé. Par la pensée, l'imagination, la marche : surtout ne jamais rester là où la vie nous a posés un jour.

Nora demande s'il se sent mieux, si le malaise d'hier soir est vraiment terminé. Kaspar George Becker fait un geste d'agacement qui signifie, ne me parlez plus de ça... Si je vous dis que je vais mourir bientôt, je ne peux vous surprendre ni vous émouvoir,

Nora, c'est une réalité à laquelle vous pensez presque autant que moi.

— J'ai eu du mal à comprendre pourquoi vous vous étiez tant attaché à Marianne et à Simon... Il y a des jeunes aujourd'hui plus fous, plus détraqués ou alors plus déterminés, arrogants, qui veulent découvrir, connaître, devenir physiciens, vaincre le pôle, traverser la Sibérie... Je ne sais pas... Ambitieux, exigeants. Eux avaient l'air d'avoir débarqué sur une île avec leur petite trousse à pharmacie et un vague manuel de survie...

Elle réfléchit, cherche les mots justes, ceux qui lui tiennent à cœur...

... Ils étaient sans malheur et vivaient, en démocrates quiets, un monde dont ils ne saisissaient que les seules apparences. Souffrir de cela est indigne car vivre est un travail, et eux ont cru que c'était un jeu dont ils ne comprenaient pas la règle. Or, il n'y a pas de règle du jeu sans l'ardeur pour la modifier.

Là encore, Kaspar George Becker fit un geste pour balayer la remarque et dit, peu importe l'ardeur absente de leurs débuts si à présent elle est venue les bouleverser. Il ajouta...

... Il y a quelque chose qui me préoccupe depuis longtemps, parce que cela arrive à des individus, mais je crois aussi, à des générations : être brusquement fatigué. Comment reconnaître ce jour où la fatigue envahit un corps ? Et ça survient aussi bien à quinze, vingt ou cinquante ans, et on ne voit rien. L'âge ou les dispositions physiques ne sont pas en cause, c'est une araignée qui se cache et lentement tisse un écran entre le monde et vous. C'est la fatigue d'un livre, d'un film, d'une promenade et on dit, je vais m'étendre un peu... Mais ce n'est pas de repos que l'on a besoin. On dit encore, demain ça ira mieux, mais demain n'arrange rien. Ce n'est pas pire, c'est pareil : une compagne grise, étale, s'est installée en vous et ne vous quitte plus...

... Un jour, vous vous souvenez, nous allions à pied de Berlin à Heidelberg. Nous traversions des villages, des bourgades, des rivières et la fatigue du temps s'est mêlée à celle survenue après avoir franchi tant d'espace. Vous vous souvenez, je vous ai dit, je suis fatigué, Nora. Et vous avez aussitôt parlé d'une auberge, d'un hôtel où dormir. Je vous ai répondu, non, je suis fatigué d'être là, que la vie continue, alors que je voudrais l'arrêter. Non pas mourir et oublier, mais arrêter la vie des mots, la vie des regards, la vie du matin et la vie du soir, des anniversaires, la vie du lendemain, du coucher, du lever, la vie qui s'éternise.

Vous vous êtes assise et vous m'avez dit : est-ce que c'est ne plus avoir envie ? Je vous ai encore répondu, non, je veux encore écrire, marcher, arriver à Heidelberg, mais j'aimerais seulement me regarder partir, me dire adieu et rester là à me voir m'éloigner.

Lorsqu'à la gare de l'Est, alors que je vous croyais morte, j'ai pu à nouveau vous serrer dans mes bras, cette fatigue qui s'était installée depuis à peu près vingt ans a disparu. Je crois que nos vies ont besoin de subir des arrivées et des départs, que des vides se comblent ou au contraire que des absences viennent sanctionner une mollesse. La fatigue survient — j'y ai beaucoup pensé — lorsque nous ne nous sentons plus à l'intersection de ceux qui nous ont précédés et de ceux dont nous sommes les contemporains. Deux lignes-forces de deux temps différents et que nous ne maîtrisons pas, mais que nous pouvons infléchir... Chaque fois qu'il y a rupture dans l'un ou l'autre sens, nous nous retrouvons démunis, sans niche, décalés de cette pliure que fait l'Histoire avec notre actualité. Alors, le mal réapparaît : une fatigue, un dégoût.

Kaspar George Becker regarda Nora. Il y avait de la mélancolie et de la tendresse qui se mêlaient à son sourire : Je vous ai toujours peu parlé de vous et de moi... Je crois qu'il serait trop facile de dire que c'est par pudeur. Elle excuse trop de silences. Non. Vous fûtes pour moi, toute ma vie et encore maintenant, une parfaite énigme. J'ai usé de divers subterfuges pour que vous sachiez toute l'attention, l'amour sans doute, puisque nous en sommes aux confidences, que je vous portais. Dans certains romans vous vous êtes reconnue, dans d'autres, vous avez repéré les situations qui avaient été les nôtres, et s'il y a toujours eu beaucoup de lettres, d'un amour démesuré, fou, total dans ces livres, vous ne pouvez pas ne pas vous être aperçue qu'elles vous étaient adressées...

Il ajouta :

... Alors pourquoi avoir écrit ces mots d'amour dans des livres et ne pas avoir prononcé les mêmes dans la vie de tous les jours ? C'est cela l'énigme.

4

Des visages, ceux de Simon, Marianne, Lucien, Marcella et Camille, défilent dans sa tête... L'ombre de leurs silhouettes se mêle à la lumière des regards.

A présent, ils sont tous en chemin, pensa Kaspar George Becker. Ils vont rejoindre, joindre, relier, se lier... Il ne peut y avoir de *fin* à ce mouvement commencé. C'est seulement à l'instant où le soleil explosera, un point d'univers incandescent avec des planètes en miettes, qu'il sera possible d'écrire ce mot pour clore toutes les histoires entreprises. Un idéogramme, une figure aujourd'hui inconnue, sera cette dernière signature des hommes pour dire adieu à leur épopée... Et il reste cinq milliards d'années pour concevoir ce signe-là...

Il aurait aimé les avoir autour de lui, entendre leurs rires, les écouter parler des paysages qu'ils ignorent et de ce reste de monde qui est immense et dans lequel leur existence va se dérouler, se répandre comme la rosée sur les champs du matin.

Kaspar George Becker est seul. Il sent que la mort approche et que sa guerre va se terminer. Pas *la* guerre, mais la sienne, sa guerre avec les mots, les histoires et l'orgueil de vouloir à tout prix finir ce qui a été commencé.

Il n'y aura cette fois ni dénouement, ni fin. Au contraire, tout sera plus complexe qu'avant. Le nœud défait se sera reformé à côté, plus sombre que jamais

Tous ces êtres rencontrés ont éclaté, attirés par les aimants, les amants survenus, par les scintillements de la lumière et de la peau, partis enfin de chez eux, éloignés de l'ancrage, du poids de monde qui les avait un moment fixés, là où le hasard les avait fait naître ou se rencontrer. Etre parvenu à cela, avant de mourir, que la guerre mobilise, appelle, qu'elle entonne le chant des départs et que les cœurs se meuvent, s'émeuvent, se lancent sur la grande trajectoire de l'incertain et trouvent, non un repos, mais des accomplissements, des drames d'un jour, des passions d'automne, qu'ils crachent leurs larmes enfin et lancent pour toujours des cris guerriers. Tordus de peur, couards, mais étreints tout entiers par la violence sourde du monde.

Ecrire, se dit-il, ce n'est pas rêver, ni souhaiter, c'est abolir.

Il regarda encore une fois la ville, du dessus, de là où on se penche pour cueillir, pour prendre, pour consoler. Un regard de poète envahi de compassion, de courage et de l'orgueil déployé d'avoir été différent, d'avoir été lui, et tous les autres

VII

À L' ENTRÉE DU DÉSERT

*« Qui nous a donné l'éponge pour effacer
l'horizon tout entier ? »*

Friedrich Nietzsche.

1

C'est le docteur Chestonov qui signa devant moi mon bulletin de sortie. Il me dit une fois encore que je ne serais jamais guéri, qu'il faudrait revenir, à cause du silence type Tchernobyl qui envahit tout et finit par entrer dans le corps à haute dose pour remplacer le sang et les petits rêves. Il m'a offert des allumettes en disant que ça faisait moins mal à la tête que le soleil ou les lampes halogènes. Vous verrez, ça représente l'espoir !

Vous devriez trouver une jolie femme, ajouta-t-il, veuve et qui aurait l'habitude d'un écrivain. Je pensai à madame Amédée, à la tache de sang devant la BNP d'Ivry, mais je ne me voyais pas transporter les fonds, comme son mari, dans les succursales de banques de la banlieue. C'est ce que je détestais dans les banlieues, l'animosité des succursales.

En repensant au silence, j'ai vu le désert et j'ai pensé que c'est là qu'il faudrait aller puisque j'étais écrivain. Aller là où il y a l'histoire des pierres et presque rien des rêves des hommes.

Marie était encore très présente, mais je savais que ce n'était plus elle que j'imaginais. Elle était dans mon souvenir identique à cette carte ancienne de l'Amérique, où j'étais allé une fois, un territoire sur parchemin, perdu au milieu des océans. Une image qui nous situe vaguement un continent, alors que l'on sait bien qu'ils dérivent, qu'ils s'écartent les uns des autres depuis des siècles sans que personne s'aperçoive de rien. Sauf les scientifiques qui mesurent les distances en se repérant sur les étoiles. Les humains ne voient rien avec les yeux ou les battements du cœur, et leurs dérives ne peuvent se mesurer... Sauf avec les psychiatres.

J'avais hurlé le nom de Marie très souvent, m'avait confié une infirmière du Bénin, mademoiselle Clarisse, et qui perfusait à merveille. Vous disiez Marie, sans cesse et j'ai cru longtemps que c'était le nom d'une araignée ou d'un serpent, parce que sans me vanter, vous étiez terrifié. Elle me confia que plusieurs fois elle s'était agenouillée...

— Prier pour mon âme ?

— Non, parce que vous aviez l'air d'un saint !

Ça m'avait effleuré cette idée, et mademoiselle Clarisse ne semblait pas partisane en disant cela. Ni fanatique car j'aurais détesté que l'on vienne me baiser les pieds et les mains et que mon stylo à romans soit séquestré dans un tabernacle.

Avant de quitter l'hôpital, le docteur Chestonov, lors d'une dernière *discussion informelle*, me demanda, quand vous écrivez, sexuellement, c'est comment ? Je dis, la norme ! C'est-à-dire ? Vous vous masturbez pour ne plus penser à l'amour ? Je dis non, c'est le contraire. Je ne me masturbe pas et j'y pense. C'est d'y penser que les cauchemars se perfectionnent et c'est bon pour l'écriture. Alors c'est une vie de sainteté ? Oui, je crois. Sauf que Dieu reste muet, alors j'essaie de le faire parler. C'est ce qui me fait continuer. Lui donner une voix et qu'enfin il me rassure sur les maladies mortelles.

Parce que, je vous l'ai dit, ma mère vaccine le tiers-monde et je sais que lorsqu'elle a bouclé son tour de planète, il y a un nouveau virus qui s'est déclenché dans son dos et elle repart à zéro. Le progrès, ce n'est pas *mieux*, c'est *plus*. Plus de virus et plus de maladies, et c'est pour ça qu'il faut écrire, pour stabiliser.

2

Finalement, j'étais resté un hiver entier à l'hôpital.

Après l'assassinat TV de monsieur Amédée, je ne voulus voir personne tant le deuil de mon troisième roman qu'il avait la charge d'écrire m'était cruel. Enjamber le cadavre de cet enfant, mort-né en quelque sorte, pour passer au roman suivant me paraissait insurmontable. Il y avait là un obstacle affectif que je ne pouvais franchir seul, et c'est au cours d'une de nos *discussions informelles* que le professeur Chestonov avait décidé à nouveau de me garder. Il me procura, en plus de mes cachets pour la tranquillité, du papier blanc d'hôpital et un stylo à encre noire, les deux couleurs du deuil d'où pouvaient naître, comme pour le cinéma, les romans.

Cet hiver-là, j'avais eu horreur des deux points et des guillemets. Il dit : « ..., ou bien, elle s'écria : « ..., ou encore, il rajouta : « ...

Non, ce n'était pas possible ! Quand les coups de feu claquent ou que les enfants hurlent, ça déchire le monde sans guillemets. La parole, c'est comme la balle sortie du canon d'un revolver, ça brûle et ça disparaît, et bien sûr on n'a pas le temps d'enrubanner la vitesse avec des guillemets.

Pour qu'on ne sache pas que j'étais en cours de maladie chronique, j'ai dû rédiger chaque nuit, avec des boules Quies dans les oreilles — tant les lamentations et les râles perçaient les cloisons — les pages de mon roman et les cacher dès le matin à l'intérieur de mon oreiller. J'avais ainsi, durant la journée, la tête posée sur mes rêves, et parfois ça bourdonnait à mes tempes, comme des chuchotements qui auraient réclamé : encore du temps, encore de l'espace et encore des libertés. Pourtant je me donnais du mal pour leur accorder ce qu'ils réclamaient, et ces lamentations des mots m'indiquaient qu'il fallait m'adonner encore plus allègrement au dérèglement et à la folie.

Mes nuits étant prises, j'étais obligé de cauchemarder en plein jour, et ça changeait tout : les cauchemars de grasse matinée ou de sieste sont plus poignants en dehors des heures normales, car ils portent des visages. La nuit, c'est l'horreur sans faille, avec le vertige, les bombardements et le vide qui attire ; là, il y avait des yeux et des paroles, Marie, souvent qui reprenait sa place, nue comme avant, et moi qui me précipitais vers elle pour me retrouver encerclé par des pattes velues, jolies au demeurant, mais dont les mains, pour les caresses, étaient remplacées par des crochets d'ongles, sauvages et pointus, qui me lacéraient le visage et le dos.

Plus j'écrivais, plus je finis par ne plus me préoccuper des pages qu'aurait dû me livrer monsieur Amédée et je pensai qu'il ne fallait pas se fier aux gens qui portent des armes sur eux comme dans les westerns et qui n'arrivent pas à cerner la vie. Ils sont trop pistés par la mort et l'écriture leur échappe. Pour écrire, il faut la mort devant soi et être à même de pouvoir contempler son désastre.

251

3

Dès ma première semaine d'incarcération, Kaspar George Becker me fit une visite et je n'osai pas lui avouer qu'il était l'un des personnages du livre que j'écrivais la nuit avec tranquillité. Je n'osai pas plus les fois suivantes, et nous sommes restés sur ce mensonge par omission, alors qu'il était devenu *le personnage de mon roman qui écrivait l'histoire de Simon et de Marianne* ! Je n'arrivais pas à me souvenir par quelle bizarre mécanique j'étais parvenu à cela et cessai de me poser la question lorsqu'il me confia qu'il s'était toujours fié à l'entre-deux, et à la mince séparation entre un verso et un recto ; comme dans la vie où les visages ne réussissent pas à dévoiler leur mystère.

L'écriture offre peu d'amis et il fut mon seul visiteur. Les petites donzelles que j'avais rencontrées dans des soirées simples étaient vite reparties vers la santé mentale, loin des turpitudes d'un écrivain du noir et blanc avec absence de cinéma. Car elles, c'est leur image qu'elles voulaient voir agrandie alors que dans un roman, bien sûr, leurs noms et leurs pensées étaient aplatis, à la hauteur du caractère.

Un après-midi, alors que je recevais une dose glucosée, directement dans la veine avec perfusion, le téléphone sonna et je décrochai avec ma seule main valide. J'entendis tout d'abord un halètement et je pensai aussitôt à Irina qui avait une prédilection pour l'attouchement à distance. Mais je reconnus la voix d'une hôtesse de l'air que j'avais presque oubliée tant elle avait été absente durant notre brève relation. Sans parler des décalages. Elle appelait du bois de Boulogne. Elle dit qu'elle faisait du jogging avec un téléphone cellulaire, car dans l'aéronavale, il y a toujours du 24 heures sur 24 et là, elle était en état d'alerte maximum.

Elle me demanda si j'allais mourir ou écrire ? J'ai répondu, les deux et elle raccrocha vite pour parer à l'urgence des avions.

4

KGB vint régulièrement me voir, comme un vieux chien aux poils longs qui serait rentré le soir d'une balade à travers la campagne avec, dans sa toison, des odeurs de foin, des brins d'herbe, des chardons, du thym et des plaques de boue, pour raconter à un jeune maître convalescent une journée de liberté. Je respirais KGB, l'écoutais et c'était l'histoire du monde libre, c'est-à-dire — en fureur, qu'il me rapportait accrochée à sa bouche, à son manteau, à sa chapka. Des parfums de ville, le bruit des carrefours et des épices thaï du XIIIe arrondissement.

Il me parla plusieurs fois d'Evguenia Guinzburg et finit par me dire qu'elle était sa sœur, morte à vingt-deux ans dans un camp. Je voulus encore savoir quel visage portait l'autre femme de sa vie, Nora, dont je ne connaissais que la voix. Kaspar George Becker me dit qu'il était dévasté, que les rides avaient tout envahi. Lorsqu'il l'avait retrouvée sur le quai de la gare de l'Est il l'avait aimée, seulement là, lorsqu'elle était déjà vieille. Jeune, il ne l'avait qu'envisagée, préoccupé par la forme du corps et le modelé du visage. A Vienne, lorsqu'il la regardait, c'est aux lèvres qu'il s'arrêtait, à l'ombre des pommettes, au corps que les vêtements cachent. Aux marches du train qui venait d'arriver d'Europe centrale, il a fermé les yeux et il a pensé qu'il étreignait le monde... Elle n'était plus une femme désirable, pourtant, lui, ne désirait qu'elle. C'est tout ce qu'elle transportait d'invisible, son histoire de femme fatiguée, ses gestes anciens, les visages qui avaient croisé son regard, ses nuits passées à dormir les yeux en alerte, qu'il désirait.

Je lui dis qu'il était un miraculé. Aimer une femme, au moins une avant de mourir, c'est une grâce...

5

A la Résidence de l'Espérance, tout avait changé.
Un cyclone d'outre-mer... Mau-Mau avait fini par
pousser son père dans l'eau du canal, ni vu ni connu,
sans coup de feu, un accident donc, avait conclu la
police.

Peu après le décès de son mari, madame Dior, née
Dolorès Bivar à Estoril, Portugal, avait épousé Ali
l'épicier en simples noces multireligieuses. Il y avait
eu un banquet, au bord du canal, avec méchoui à la
Hikmet et morue à la Pessoa, quelques versets du
Coran et une épître aux Corinthiens. Tout cela, un
jour de soleil universel, au son de la mandoline et de
la darbouka. Forcément, je me sentais décontenancé.
Le changement, c'est comme l'arrivée des fraises en
hiver, et je constatai que les chiens de Paris avaient
toujours le même air triste des films de Chaplin.

Un après-midi, j'ai entendu des coups frappés qui
résonnaient dans la Résidence de l'Espérance. J'ai
pensé que l'on crucifiait en plein après-midi, à Paris,
sans que personne se soucie de la Sainte Face. Je
suis allé me laver les mains, par habitude, j'ai
regardé par la fenêtre et j'ai pensé que c'était finalement une mauvaise idée d'avoir inventé un fils à
Dieu. Je n'ai rien personnellement contre Jésus que
je trouve beau garçon, courageux et authentique,
mais Dieu, c'est plus grand et plus dévastateur sans
trait d'union avec l'humanité. Ce serait même comme
le plus beau poème que chacun parviendrait à inven-

256

ter sans avoir à en réciter les mots, un poème de laves descendu en kayak des bords de l'univers, ardent, sorti du fond de l'âme, sans mémoire, un parfum, un sentiment, une histoire des hommes sans cris ni lamentations qui s'inventerait la nuit, yeux ouverts, en chevauchant la pluie, et l'azur, pour voir se dérouler à chaque instant sa vie, mélangée à toutes les autres, avec l'orgueil d'en faire partie, mais de n'y être rien.

6

J'avais une envie atroce d'intérieur. Pas celui d'un appartement, mais la grotte d'un corps où se déroule la seule histoire qu'on ait envie d'écrire. J'ai bien regardé autour de moi et il n'y avait ni bras ni maison, tout restait extérieur et sans le mystère de l'ombre. Alors, comme si un déluge allait enfin tout submerger, je me suis mis à ranger, à empiler, à classer, à mettre mes affaires de première urgence à leur place : une brosse à dents, des rasoirs jetables, mon passeport, les cachets pour la tranquillité, trois stylos *Reform* 0.9 Calligraph fabriqués en Allemagne, une bouteille d'encre noire (Tinta Negro Permanente) *Parker* made in England, des rames de papier 80 grammes arrivées tout droit des forêts suédoises, une bouteille de limonade vide avec bouchon pour largage en cas d'urgence, des cartons de lait demi-écrémé longue conservation, quelques souvenirs d'enfance et une vague plaie adolescente.

Puis je suis sorti m'acheter des bottes mexicaines. J'ai pensé qu'avec le mezcal et mon ventilateur à pales en bois, j'allais m'offrir une dernière soirée mambo.

Avec un peu de chance les iguanes descendraient du plafond en laissant de magnifiques traînées visqueuses sur l'écran du téléviseur et mon père en profiterait peut-être pour apparaître en tenue de cheminot et me raconter la suite de l'histoire que nous avions commencée ensemble, dans l'est de la France...

7

J'avais promis à ma mère etc...

Alors je partirais.

J'ai branché une cassette, *Los gitanos de Almeria*, et regardé les chemises aux couleurs différentes, toutes remplies de feuilles à l'écriture noire, illisible, mon écriture. Posées les unes sur les autres, elles portaient des titres griffonnés au marqueur... Marianne et Simon / Kaspar George Becker / Nora / La fille à la cabine téléphonique / Marianne et son père... Il y avait aussi la plus mince, celle de Lucien, l'enfant qui croyait aux apparitions, puisqu'il suffisait de *souffrir* et de *vouloir* pour que la cause du chagrin accoure dans la nuit... Je pensai qu'il n'y avait que les enfants et les vieillards pour ne pas croire au monde.

Il est temps pour moi de mourir, m'avait dit Kaspar George Becker, je commence à voir le monde tel qu'il est.

J'étais fatigué par tant de nuits passées en transfusion d'écriture. J'avais extirpé au goutte-à-goutte, du froid de mon corps, comme un vieux mal qui ne se serait jamais guéri, cette maladie chronique du parler, du vivre, à se regarder souffrir avec des gens qui hantent les pensées.

Mais je me sentais capable d'*inachever*, faire taire mon orgueil de magicien et ne pas saluer, sous les applaudissements, l'instant où les colombes s'envolent du chapeau et inscrivent le mot fin sous la coupole du théâtre. Capable donc, de fermer une porte d'appartement et de partir vers un horizon, vers des morceaux de monde inconnus pour aller vérifier si les choses et les images qui me parvenaient, correspondaient bien aux mots qui les désignaient.

Devenir orphelin et prendre un chemin qui s'éloigne.

8

Le long du canal, en quittant la Résidence de l'Espérance, je croisai une péniche hollandaise dont le linge des bateliers séchait près d'une Volkswagen rutilante, neuve, d'un modèle que je ne connaissais pas. Dans un sac de voyage qui se porte à l'épaule, j'avais glissé de quoi écrire, mon passeport et une lettre parfumée de Marie que j'emporte toujours avec moi. Plus le temps passait, plus il fallait avoir connu le parfum d'origine pour parvenir à en retrouver un reste d'effluve.

Je contournai les hangars à bateaux et arrivai au métro.

C'est entre Jaurès et Nation que je décidai de ne pas quitter Paris le jour même et de faire ce qui ne s'était jamais présenté : dormir au moins une nuit dans un hôtel de la ville où j'habitais.

Sans doute, pour avoir un jour flâné au marché aux puces de la Porte de Montreuil et avoir aperçu un petit hôtel étrange en briques rouges, près du périphérique, j'avais eu l'idée d'y faire séjourner Simon et Marcella. Je n'y étais jamais entré et, à Nation, je pris la direction qui allait m'amener à l'intersection du boulevard Davout et de la rue d'Avron, à deux pas de l'*Hôtel des Passagers*. A l'avant-dernière station, machinalement, je sortis la lettre parfumée de Marie et la respirai, comme si j'attendais de ce geste un peu de courage.

Mais tout ça sentait le déjà vu.

261

En sortant du métro, je me repérai vite et trouvai aussitôt l'hôtel. Une étoile avec douche. Pas de télévision, un téléphone mural. Ascèse garantie.

Le lendemain, au moment de payer, à la réception, j'appelai Kaspar George Becker pour lui annoncer que je quittais la ville.

C'est Nora qui décrocha.

Lorsque j'eus au bout du fil Kaspar George Becker, j'aurais pu tout aussi bien n'évoquer que mon départ, mais je commençai à parler du roman inachevé. Lui ayant fait tenir dans mon livre des propos là-dessus — dernier orgueil —, je voulus vérifier mon intuition et entendre de sa voix grave aux multiples accents la sanction de son jugement. En prime, lui offrir mes ultimes guillemets, à lui, l'écrivain.

« Il n'y a que des vies improbables, me dit-il, des histoires sans fin. Rien ne s'unit, tout part vers l'extérieur, plus loin, vers la nuit et l'effroi, les glaces et la lumière, et ce ne sont que des technologies sophistiquées qui rapprochent et font croire que tout est là, à portée. Mais les corps s'éloignent, dans l'univers, vers l'oubli, avec l'impossibilité à jamais de parvenir à se souder. »

Je l'entendis reprendre sa respiration, le genre de silence qu'il aimait imposer avant d'asséner un verdict, et lancer :

« Un roman inachevé ? Il rit. Il y en a tant de publiés et qui ne sont même pas commencés... »

Il ajouta : « Je vous embrasse comme je vous aime » et raccrocha.

En sortant de l'*Hôtel des Passagers*, je m'aperçus que la Porte de Montreuil avait été remplacée par la Porte Balte. Je suivis à pied la courbure du périphérique... Tout avait changé, mais comment croire cela ? Une Porte de la Méditerranée ! Une Porte des Pharaons ! Kaspar George Becker aurait-il gagné ?... Les portes de Paris avaient bel et bien pris les noms imaginés par un vieil écrivain... Un décret ? Qui s'était soumis ou avait osé suivre les injonctions de l'écriture ?

A la Porte du Sahara, puisqu'il en était ainsi, celle entre la Porte Abyssine et la Porte du Matin calme, de l'autre côté du périphérique sud, je m'engageai dans les avenues de Montrouge, puis bifurquai pour le Kremlin-Bicêtre et une fois passées les dernières maisons, ce fut le désert. Un long moment de sable, le paysage de tous les possibles, la page divine où inventer sa légende...

J'imaginai alors que quelqu'un, tout au sud, s'était mis en route en même temps que moi, et allait marcher vers le nord, à ma rencontre. C'est cela non, l'existence ? A l'entrée d'un désert, partir rejoindre quelqu'un dont on ne sait rien.

Si par une chance inouïe nos routes ne se trouvent pas trop éloignées, on peut encore imaginer que nous nous apercevrons, et même, que nous nous croiserons... Pour nous saluer, nous ignorer, échanger quelques mots avant de repartir, avec ce dernier, cet unique souvenir : avoir rencontré un visage sur la piste, un seul visage, et vivre avec lui.

*Remerciements à Bruce Chatwin, à Catherine Perlès
et à Tzvetan Todorov.*

TABLE

Achevé d'imprimer en octobre 1991
sur presse CAMERON
dans les ateliers de la S.E.P.C.
à Saint-Amand-Montrond (Cher)
pour le compte des éditions Grasset
61, rue des Saints-Pères, 75006 Paris

N° d'Édition : 8603. N° d'Impression : 2225.
Première édition : dépôt légal : août 1991.
Nouveau tirage : dépôt légal : octobre 1991.

Imprimé en France

ISBN 2-246-45491-3